THE
AUDIO
MiXiNG
AND
PRODUCTION

催生音樂
混音工程與製作

游士昕
編著

 全華圖書股份有限公司

Recommended 推薦序

　　從事廣播工作二十多年，聲音一直是我生活中最親密也最敏銳的靈魂伴侶。

　　記錄聲音，尋找完美的音色，無論是環境、人聲、音樂上的需要，或是為了音效、混音、聲音編輯等工作，從一個三維的世界去熟悉這抽象的符徵，乃至到了 gravitational wave 的聲音終於在 2016 年初來到，這一路來有太多探索，時而進入未知之境卻興奮溢於言表、時而走向下一個寬厚領域而感到茫然思索。

　　直到這本書的問世。

　　每個世代都有新場域隨著新知識伴隨而至，隨之開啟我們一度困惑的腦際、擁抱它們並迎接下一個更大的可能到來。知識與資訊視覺化處理的進展漸漸軟化過去艱深的文字，使一般人得以更加簡潔直白地瞭解更多聲音的學問，這本書有好奇者可以一窺究竟的功夫，有初學者可以漸進上手的專業，更有入門者可以廣博發散的內涵。

　　所有聲音工作者都應該感到開心有這樣一本著作，證明聲音的重量不但可積累，而且更能讓人敬重。

2016 年 2 月 16 日

Credits and Thanks 致謝

一萬分的感謝 **Kelly 小眞**一路以來對我的支持，在我的音樂創作、專業知識與我在英國攻讀學位時，陪伴我走過那些差點放棄的時刻。

感謝我的強力製作團隊，**Jimmy 張靖**的許多 idea 和人生暢聊，那些在 iMessage 裡唸唸我的話，還有 Tim Hortons 我都收到了；**Vince 高勤倫**無怨無悔的錄音記錄，才有混音大人物的精采訪談內容，還有工作之餘的協助校稿，為整本書的成型幫了非常大的忙，雖然你挑了很多與音樂不相關的問題；**楊維夫**老師最專業的過往經驗還有對於書籍內容的建議；**林鴻君**教授特地協助許多古典音樂的專業知識與校正，在 Frequency Chart 的審查更是幫了大忙；國防部藝工隊的**高小華**、**羅小寶**與**廖董**，你們是全天下最支持我的人；艾爾樂器的**陳廷帆**、**鄭于珊**一路的陪伴，還有強大的火力支援。

瑪莎哥，無條件在五月天專輯製作中抽空給我的幫忙。

袁永興老師在於音樂產業上的不少建議與幫忙，還有一直以來督導我身上的肥肉，這點很重要，所以一定要寫。

王俊傑、**林正忠**、**郭遠洲**、**鄭皓文**、**鍾國泰**，感謝您們分享了這數十年來臺灣混音產業的寶貴經驗，給士昕一個成長與學習的機會。

開啓我聲音工程之路的**黃昭智**老師，我不是您最好的學生，但您永遠是我最好的老師。

楊敏奇老師、又昇樂器**紅茶**哥、**林尙德**老師、MidiMall **陳維翰**老師、**張書瑋**導演、強力錄音室、白金錄音室、大雞腿錄音室、眞美麗錄音室、G5 Studio、DAP Studio、大禾音樂製作公司、吉力文化有限公司、Cacatu 卡卡圖影像團隊、**鍾曜年**鼓手、**陳欣湄**醫生等許多前輩、老師、朋友們。

所有願意聘用我的大專院校系主任，給了一個小毛頭有實現願望的機會—改變臺灣的聲音教育。還有我的學生，搶修我的課讓我有點面子，也警惕自己謙卑與持續成長的重要。

我的家人，**謝謝**你們支持我這樣任性的一直走下去。

2016 年初冬

Contents 目錄

Introduction 引言

　　人們在日常生活中與聲音相處的機會，絕對不亞於智慧型手機的使用次數，無論是便利商店的廣播、騎樓店家的音樂、電玩電影的配樂、電視節目的流行音樂等族繁不及備載。人們習以為常的事物，幾乎都有聲音滲透在裡面。聲音沒有形狀，但它有著紮實且極具影響的感染力，並以溫和的姿態侵略著我們存在的世界。

What you hear is what you get

　　在現實中使用智慧型手機的人們，常會隨時檢查傳送出去的訊息對方是否回應，但卻極少人會真的在意耳朵所聆聽的內容本質以及它的產生過程。音樂中蘊藏的，不僅是歌詞與旋律，當深入去感受，你所聆聽的是聲音工程師耗盡心血重新詮釋的聲音圖像、是整個音樂工作團隊費時耗日完成的美妙作品、更是整個時代孕育出來的藝術結晶。舉例而言，人們會關心美食製成的過程與品質，卻極少人瞭解整個音樂創作的流程細節，舉凡詞曲創作、Demo 製作、樂器錄音、人聲錄音、Rough mix、混音工作、母帶與後期製作、壓片。然而，在整個聲音工程中，有個階段著實影響音樂作品的表情與呈現，它可以說是整個聲音工程的關鍵－**混音工程**。

聆聽混音就好比在觀看時代的演進。70 年代美國濃濃復古味的搖滾樂混音與現今社會流行的韓式電子舞曲混音，是由完全不同的處理過程與方式來呈現，再者，同樣一首曲子，不同的聲音工程師處理出來的音樂絕對有著非常大的差異。動人的音樂之所以能夠代代流傳，除了詞與曲本身的韻味之外，混音工程絕對是整首曲子最大的推手。

為何我最愛的家鄉，聲音工程的資訊取得卻是如此封閉與受限？

隨著產業型態的轉型，數位影音科系在大專院校如雨後春筍般的冒出，新興科系所面對的難題，不僅是學界與業界的銜接、傳統教育型態該如何做出突破與妥協，還有專業技術系統化的整理與概念的傳承，都是重要且急需的。

這並不是一本看完就會變成混音大師的書，但裡面有很多基礎與聲音的知識，絕對是最容易被人忽略的。我由衷希望這不只是臺灣第一本混音工程與聲音製作的書，而是可以讓更多音樂人充滿熱情與熱血，更願意投入聲音的領域，也可以讓更多影音工作者能夠更瞭解聲音，更加尊重聲音。

本書為混音工程的概念介紹，適用於所有 Digital Audio Workstation 數位音訊工作站。
本書的器材照片來自於該廠商官方照片，知名混音師照片則來自於過往網路資訊照片。

Part 1

聽見混音

做混音，不如先聽混音。

細節，藏在每一個關鍵與階段裡，

而這些準備都是幫助聽見正確聲音的關鍵。

此後，才談混音。

Mixing
Engineering

混音工程

在人類的生活中，「聲音的存在」是人類習以為常的。然而，你是否想過，
走進電影院準備欣賞一部電影，或是在音響播放一片 CD，又或是點擊 APP
的串流音樂來聆聽，這些再熟悉不過的音樂、配樂是如何製造出來的呢？

1.1
The Processing of Mixing

流程與關卡

　　以餐飲業為例，一道道可口誘人的美食，不單純只是廚師於廚房努力的結果，還有很多容易被人們忽略的程序，像是原料食材的栽種與捕獲、配送司機的長途跋涉、市場攤販的進貨販售、採購者精心挑選與購買的獨特眼光、廚師長年的菜色研發與廚藝功力，再加上經營者的理念與餐廳經營，還有服務生的禮貌與細緻服務，才會是我們熟知的餐飲業供應鏈。

　　在聲音的世界裡，其道理完全相同，也擁有著非常龐大的工作鏈，需要靠眾人的努力，層層把關，才有現今美妙的音樂流傳。

▲ Neve Studio, SSR London

你所忽略的
音樂製作流程

聲音的製作流程相當繁多，其程序包含：A&R（Artist and Repertoire 藝人開發與定位）、風格決定、詞曲創作、樂譜撰寫、Demo 編曲製作、樂器與歌手錄音、音訊剪輯、**混音工程**、母帶與後期製作、壓片、市場行銷等。除此之外，於不同的聲音產業或者行銷方式中，又會由這些已經存在的項目向外延伸。

談論了這麼多，本書所想呈現的主題—**Mixing 混音**—之於整個音樂製作工程，究竟處於什麼樣的階段與程序？而 **Mixing Engineer 混音師**在流程中又扮演著什麼樣的角色？本書將著重在混音師的工作與細節，進而使大家瞭解混音之於整個聲音產業的重要性。

影像部

創意開發	前製階段	製作階段	後製階段
專案企劃	角色設定	模型製作	合成
故事概念	場景設計	場景佈局	特效製作
腳本設計	道具製作	拍攝	顏色校正
勘景	分鏡腳本繪製	陰影光線	影片剪接
尋找工作人員	動態腳本製作	影片錄製	影片輸出

聲音部

前期製作	製作階段	混音後製	成品輸出
配樂風格方向	現場音樂指導	真實樂器錄音	配樂與音效平衡
曲風風格研究	與合成音技術搭配	聲音剪輯與編輯	聲音與口白平衡
主題曲撰寫與延伸	主旋律撰寫	真實與虛擬樂器合成	母帶後期製作
Demo 測試與製作	樂器配樂	混音工程	
檢查分鏡配樂時間點	MIDI Demo 製作		
配器尋找與嘗試	Demo 測試與製作		
	和聲撰寫		
	樂譜製作		

▲ 以影像製作流程為對比，談論配樂與音樂製作流程

混音工程就像廚藝，
是嚴謹的專業，亦是浪漫的藝術

廚師可說是完成一道美味料理的靈魂人物，若將混音師製作音樂類比爲廚師烹調料理，廚師擁有的絕佳食材宛如混音師擁有最棒的詞曲、旋律，而據以烹調的食譜，就是用以演繹聲音的編曲與曲風。廚師因著手中食材種類及屬性的不同，可以選擇燉煮、燒烤，甚至生食等多種烹調方式。混音師也能因著手中不同的詞曲、旋律，創作出動人心弦的樂音。

一位好的混音師，在錄音室中將聲音調味、擺盤，並加上一些混音師的創意，就如同廚師爲料理加一點鹽巴、一點辣椒，並在一旁灑點香草、淋上特製的醬汁。除了聲音原先的韻味之外，爲其另外加上特色、分佈、主題與整體聽覺的畫面感，這些就是混音師最主要的工作。

▲　混音師就像廚師，是爲作品塑造出靈魂的人物

層層把關的力量

歐洲著名的母帶後期製作師 Jonathan Espinosa Minuesa 曾說：「好的母帶後期製作有 70% 是取決於前階段混音師的程度；而好的混音作品，又有 70% 是取決於前階段錄音師的實力。」此話如同一位廚師，若空有質優的食材，卻在料理的過程中漫不經心，則絕對是事倍功半；同樣的，在聲音工程中對每個關卡層層把關，掌控好每個階段該有的品質，對於之後各個階段的製作絕對有著關鍵的影響。因此，在追求好的混音前，首先要追求的是好的聲音素材，並加上層層把關的力量！

Jonathan Espinosa Minuesa 為歐洲 Edel Music、Universal、Defected 和 Sony 簽約的聲音工程師，合作過的對象為 Sandy Rivera、Booty Luv、Joy Malcom、Tara Mcdonald、Fedde le Grand、Jocelyn Brown、Angie Brown 等音樂製作人，英國 School of Sound Recording（SSR）London 最高階負責人，同時也為 Avid 歐洲地區原廠 ACI（Avid Certified Instructor，Avid 官方原廠認證講師）。

然而除了擁有好的錄音素材，還有像是聲學環境、監聽系統、音樂曲風的差異性、硬體器材與軟體、製作人的個人習慣、市場取向等諸多因素，都可能影響到混音工作的目標與成品表現。在進入混音階段之前，混音師通常還會花費許多時間去「瞭解」一些細節，讓混音程序更有效率：

- 這個音樂作品的創作者想要表達的是什麼？
- 確認作品裡每一個樂句的起承轉合、分明強弱、循序漸進。
- 創作者希望混音師賦予這個聲音作品朝哪一個方向發展？
- 素材本身是否存在某些問題？整體聽起來正確嗎？
- 進行混音時，怎麼去處理這個聲音作品？能做什麼？又該做些什麼？
- 與創作者溝通、與製作人溝通。
- 案件處理的時間分配。

好的混音作品，應該是將多軌聲音素材透過諸多方式，例如調整音量與擺位平衡、聲音效果處理、混音師的創意發想等工作程序來加強整體作品的情緒張力，藉此增加音樂帶給觀眾的影響力。因此，混音階段可以說是最能影響整個聲音作品的成敗關鍵。

▲ 好的錄音取決於麥克風的使用，麥克風種類的挑選、收音角度與距離、器材之間的搭配、好的樂手、好的空間環境等，這就是層層把關的力量

美國葛萊美獎常勝軍，知名混音師 Chris Lord-Alge 曾經在訪談中提及：

"Engineer like a pro, which means you're willing to take chances to create a sound the band likes, not to be safe. everyone is too safe. Everybody can plug the mic in, turns the level, record your track, that's produce like a stroke, not produce like a pro. Nowdays we want to create something, so we built a sound."

「要成為專業的混音師，你必須要能夠創造出一個適合樂團的聲音，而不單純只是錄製樂團的聲音。現在太多人在錄音與混音上都太過於安全保守，當每個人都能夠接上麥克風，設置好音量並開始錄音，這叫做按表操課，並不是成為大師級的混音師的方式。現今在面對聲音的處理上，我們都是因為想要創造出什麼，所以才設計出適合的聲音。」

Chris Lord-Alge 是擁有五次葛萊美獎得獎記錄的美國聲音工程師。遠赴重洋尋找 Chris 的樂團不在少數，連亞洲知名的 One OK Rock 都曾跨海尋求 Chris 操刀。CLA 合作過的藝人包括 Deftones、3 Doors Down、Nicklback、Avenged Sevenfold、Demi Lovato、Boys Like Girls、Flyleaf、Dover、Green Day 等眾多知名樂團，CLA 的作品曲風橫跨流行樂團至金屬搖滾，風格多變且充滿創意。甚至連知名效果器公司 Waves 都曾經邀約 CLA 參與設計一系列以自己名稱命名的 CLA 系列混音效果器，至今於混音工程界的知名度與地位不在話下。

混音工作是否需要音樂背景？

在深入探討混音工程前，最常聽到的問題爲：執行混音工作，需要有音樂背景嗎？

其實這個問題並沒有正確答案，但就某些層面而言，混音工作的確不像詞曲創作與音樂背景有著直接的關係。作者也曾經遇過，對於音樂一竅不通的混音師，但他卻擁有極爲高超的聲音敏感度。

然而，如果混音師本身擁有一些音樂背景或者較佳的音樂演奏能力，對於整個混音工程而言，絕對是加分的。許多混音工程內容都是建立在電子學、數學、基礎樂理、聲學理論、生理學等領域上，混音師常需要處理整體或單一樂器的節拍與音調調整等問題，若擁有相關音樂背景，絕對能事半功倍地完成任務。

▼ Neve 美麗的糖果旋鈕

1.2

Basis of Sound

聲學原理

　　相信大家小時候都有這個經驗，拿顆石頭往湖的正中央丟，此時石頭與水面的撞擊會形成水面的波瀾，而此時水面的波瀾會再透過彼此之間的震盪將波瀾傳到更遠的地方，導致遠處的水面也能感受到水面的波紋。而聲音波形在介質中的傳遞方式，就和湖水的物理現象相當類似。

▲ Avid Pro Tools，目前全世界聲音工作者最大宗使用且最具流通性與普及性的 DAW 數
位音訊工作站

　　聲音的生成與接收為一種物理現象。物體在動作的過程中產生撞擊，撞擊的力量轉換為震動的動能，再透過於介質（可為空氣、液態或固態物體）的傳遞而產生空氣中的壓力變化與波動，進而當耳膜接收到空氣粒子所擠壓的波動，即成為我們聽到的「聲音」。

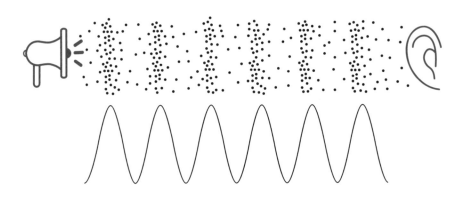

▲　人耳聽見聲音的聲學原理

Wave Anatomy 聲波剖析

　　人類因上述的聲學原理加上我們自身的聽覺系統而能夠聽見無形的聲音，當將這些聲音以圖形化的波形顯現出來後，更能夠輔助瞭解原先那抽象的物理現象。然而，一個小小聲音波形裡卻藏有諸多的大秘密，每個細節不但影響著最初聲音的音色，也影響著最終聆聽上的差異性。

Amplitude 振幅

　　聲波與聲波之間，空氣中波動造成的壓力形成振幅。振幅影響聲音的強度，振幅愈大，表示波形受到的震動壓力愈大；能量愈大，音量也就愈大。

Wavelength 波長

　　在固定的頻率裡，聲波沿著傳播的方向前進。在圖形化的顯示中，相近的兩個相同質點，其相同質點的兩個波峰之間的最短距離即為波長。

Frequency 頻率

　　聲音從正弦波延續到餘弦波的時間長度，稱為 Cycle，也就是指週期。以秒為單位的內出現的震動次數即為頻率，我們使用 Hertz（Hz）來表示聲音領域中各式不同的頻率。

　　頻率與波長成反比關係，同樣時間內，頻率愈高則波長愈短，音高愈高。

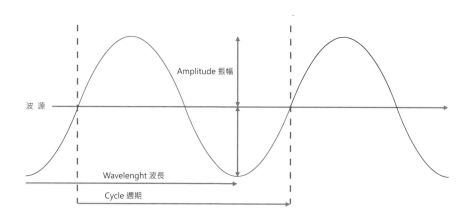

波源
Amplitude 振幅
Wavelenght 波長
Cycle 週期

▲　波長、振幅與週期

Timbre 音色

　　每一種聲音皆有其固定的頻率，透過 Cycle 週期的重複堆疊，並隨著波形之間的距離而產生不同的聲音波長。透過各式各樣的聲波，即為人耳所接收到的各種音高與音低，在音樂理論上稱之為不同高低的音符。其中，聲音的堆疊週期壓力愈大，往往聽起來的音色愈集中；相反的，壓力愈低的堆疊週期則聽起來愈分散。

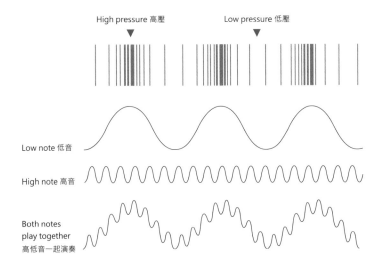

High pressure 高壓　　　　　Low pressure 低壓

Low note 低音

High note 高音

Both notes
play together
高低音一起演奏

▲　聲波的疏密造就了音高與音低

Harmonic Series 泛音列

　　以樂器演奏而言，一般我們認為的「單音」，其實並不單純是「一個單音」。實際上，人耳所接收到的樂器單音是由一個基本音（根音）加上無限個延伸出來的泛音所組合而成的和聲，但人耳會自動將後面的泛音合併納入第一個根音，並產生「單音」的錯覺。因此，由許許多多的單音所共同組成的一個聲音，才是樂器演奏出的「一個單音」。

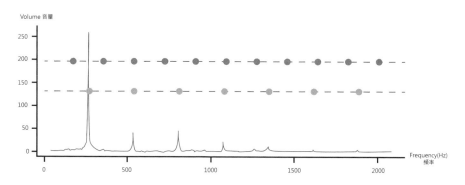

▲　構成音符 C 的泛音列

　　此處所指的無限個延伸出來的泛音是理論值，實際情況會因為頻率超越了人耳能接受的頻率範圍，並且與當下空氣的溼度與暖度對聲音屬性造成一定程度的衰減，而導致聲音的消失。

　　根音是聲音的最基礎音符，透過於根音與其他和音堆疊後能夠產生出各式各樣的泛音或和弦。

　　即便是同樣的音符與音高，透過不同頻率的樂器演奏，也會產生不同的壓力與不同的聲音波形，這就是人耳能夠分辨出樂器與音色的最主要原因。不同頻率的單音合併它本身所產生的泛音能夠組合出樂器的「單音」，而單音結合了不同的強度的和聲，構成所謂的「樂句」，也就是我們聽到的「音樂」。

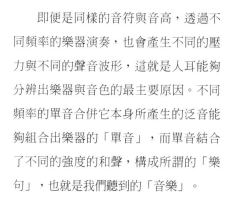
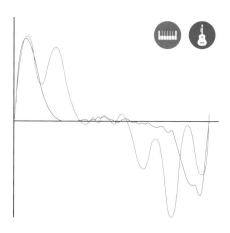

▲　同樣的音符與音高，使用不同樂器演奏會造成不同的聲波

Analog / Digital Converter 類比數位轉換

在數位化系統裡，無論使用哪一套 Digital Audio Workstation（DAW）數位音訊工作站，皆必須透過 AD/DA（Analog and Digital Converter 類比與數位轉換器）機器的 Analog to Digital Converter（ADC）功能，將聲音由類比訊號轉換為數位訊號，再使用硬碟中的編輯與處理功能來對這些數位訊號進行儲存。

當硬碟完成任何數位音訊編輯處理後，按下播放指令，此時數位系統會由 Digital to Analog Converter（DAC）功能，將數位訊號轉換為類比訊號輸出至整個聲音播放系統，藉此聽見聲音的任何記錄與改變。透過這樣的轉換，混音師才能在數位系統上對於聲音訊號進行任何的編輯、儲存與再次輸出，這也是非線性剪輯的原理與概念。

在數位音訊的 AD/DA 編碼與運算的過程中，有兩個名詞是數位音訊處理中非常重要的部分，它們關乎了聲音的細緻度與精細程度，分別是 Quantization 量子化與 Sampling 取樣。

▲ Eclipse 384 Stereo AD/DA Converter

▲ Crange Song HEDD 192

Quantization 量子化

數位化音訊處理系統中，聲音取樣的原理是將我們聽到的類比聲音訊號，透過 Pulse Code Modulation（PCM）脈衝編碼調變技術轉換為數位訊號記錄在電腦磁碟裡，而多位元的 PCM 是以取樣點來量化、記錄聲音訊號，因此不同的取樣點的細節，正是造成聲音深度上差異的最主要原因。

在數位音訊處理系統的操作上，所有聲音工作領域的聲音工程師都必須設定 Bit depth 取樣位元來決定整個專案的取樣點數量，當然這也是後續工作呈交與銜接非常重要的一個重點。Bit depth 意指每一個小單位裡記錄的格狀單位大小，若以圖像來比擬聲音，像素愈高則圖像愈清晰，而 Bit depth 取樣位元在聲音中就如同影像的解析度一般，提高取樣位元的取樣點數量，就能夠取得更清晰的量化訊號，數位化的聲音訊號就愈能夠還原類比式的聲音訊號。

類比聲音訊號轉換為數位聲音訊號的過程中，必定會有誤差與失真的狀況產生，因此，在系統以有限的取樣點來記錄並轉換類比聲音訊號時，單位點與點之間的差距就成了影響聲音深度的關鍵。

將聲音波形放大好幾倍後，看似圓弧的波形其實是由一階一階的二位元數位符號串聯構成的取樣點。以 CD 的音質規格為例，16bit 取樣位元指的是在這樣的取樣環境下，每次能夠得到的量化數值為 2 的 16 次方，也就是 65536 階，因此 CD 的音值規格最小單位即為 65536 階。

▲ 圖像的解析度愈高則愈清晰

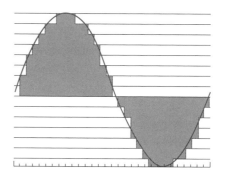

▲ Bit depth 取樣位元

而 Bit depth 取樣位元在聲音系統裡不僅代表聲音的解析度，也代表聲音的音量所容許的範圍與可承受的理想值音壓範圍。在數位化系統裡，多增加一個位元，意味著能夠記錄的資訊量大了一倍，而在聲音的世界裡對於波形振幅的狀態就較原先大了一倍，以這樣的基準下去記錄，1bit 的取樣位元能換算成約 6dB 的音量容許範圍。因此可換算出在現今主要的數位化音訊處理系統中，16bit 理想值的可容許聲音範圍為 96dB，24bit 理想值的可容許聲音範圍為 144dB。

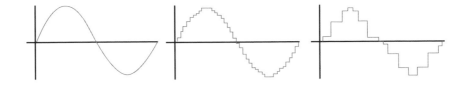

▲ 取樣點愈多則數位聲音訊號愈接近類比聲音訊號

dB（DeciBel）分貝是用來表示電信功率訊號的增益與衰減，通常用來形容聲音音量的大小狀況，在 Chapter 3 中將有更深入的介紹。

Sampling 取樣

在開始談論 Sample rate 取樣頻率之前，讓我們先以「縮時攝影」來瞭解影像取樣的細緻度差異。假設我們在以下兩種狀況進行縮時攝影：第一種狀況的影片長度為 10 秒鐘，相機的自動快門設定為 1 秒鐘拍攝 2 張照片，取得的總照片數量為 20 張；第二種狀況的影片長度一樣為 10 秒鐘，但是相機的自動快門設定為 1 秒鐘拍攝 10 張照片，取得的總照片數量為 100 張。將兩種狀況的照片交由影像後製軟體串成影片，其結果的差異只在於影片的細緻度，因此可得知第二種狀況的畫質較佳且流暢，但也將增加電腦運算的負擔。

Sample rate 取樣頻率的概念和上述的縮時攝影非常相似。當 Sample rate 取樣頻率被設置後，數位化音訊處理系統會依照取樣的數字去進行每一秒鐘的讀寫與記錄。以 CD 規格的 44.1kHz 為例，44100Hz 代表電腦每秒鐘取樣聲音波形 44100 次。

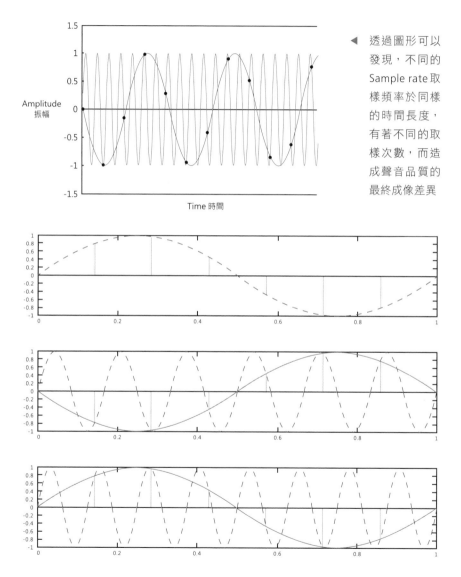

◀ 透過圖形可以發現，不同的 Sample rate 取樣頻率於同樣的時間長度，有著不同的取樣次數，而造成聲音品質的最終成像差異

▲ 在不同頻率的聲音波形顯示下，相同的取樣頻率參數與原先取樣的波形對照與差異

為何爭論高 Bit Depth 取樣位元？

　　早期或使用較初階的錄音器材時，有著非常高的 Noise floor 底部噪音，在這種環境下進行錄音，往往會產生一種下意識動作—試圖拉高錄音的聲音訊號，在不破音的狀況下嘗試蓋掉 Noise floor 底部噪音，但這樣的行為通常會影響後續處理時 Headroom 動態空間的空間。

　　在數位錄音的世界裡，以 1bit 容許範圍約 6dB 的理論值來計算，16bit Fixed point 定點運算的動態範圍為 96dB，24bit 為 144dB，32bit 為 192dB。這個公式讓我們知道，Bit depth 愈大，不僅增加了聲音的取樣解析度，同時也增加了聲音的動態範圍。因此，開發高 Bit 數取樣的爭論一直存在。為了充分瞭解上述的爭論，接下來就先從 Fixed point 定點運算與 Floating point 浮點運算談起。

　　理論值的動態範圍與實際上器材所能實現的數值會有一定的差異，此與廠牌、工法、細緻度都有關聯。

　　最簡單的解釋 Headroom 動態空間的方式是：整首歌曲聲音訊號最大的 Peak 峰值與 0dBFS 之間的範圍。做混音一個最大的秘密就是保留足夠的 Headroom 動態空間，這點在純軟體的 In the box 全電腦混音更是需要注意。

Fixed Point 定點運算與 Floating Point 浮點運算

數位訊號的運算組合過程可以細分為兩類，分別是 Fixed point 定點運算與 Floating point 浮點運算。

當聲音訊號由24bit的ADC（Analog to Digital Converter）轉換進入 32bit 的 Fixed point 定點運算的環境裡，會擁有非常大的 Headroom 動態空間與極低的 Noise floor 底部噪音，以理論上來說，32bit Fixed point 定點運算的確可以提供聲音更棒的空間。

同樣在 24bit 的工作環境下，當聲音轉換進入 32bit 的 Floating point 浮點運算的環境裡，原先 32bit 與 24bit 之間 8bit 的差異值，即成為一個懸浮的屋頂，這個屋頂會隨著聲音訊號在動態範圍中向上或向下移動，動態範圍的理論值增大為 1680dB，甚至能夠擁有更細緻、更大的空間。

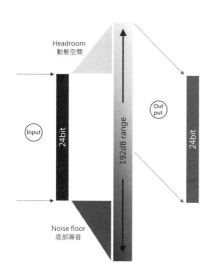

Fixed point environment
定點運算

▲ 聲音在 Fixed point 定點運算環境下的狀況

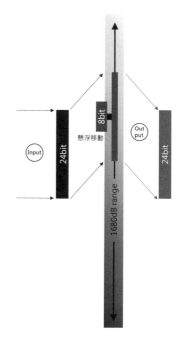

Floating point environment
浮點運算

▲ 聲音在 Floating point 浮點運算環境下的狀況

以現今的數位音訊技術來談論這點，混音工程中較常用「軟硬體」來辨別這兩種技術。一般而言 Fixed point 定點運算較常被架構在聲音訊號轉換器的核心架構運算，Floating point 浮點運算則較常被架構在各廠牌 DAW 數位音訊工作站的選擇運算基礎上。Floating point 浮點運算在聲音工程中的優、缺點與盲點如下：

● 優點

一、 許多 DAW 數位音訊工作站隨著全 64 位元的作業環境來臨，大部分都能夠在新建專案時提供使用者選擇 32bit Float 浮動模式，在此環境下作業，能夠更有效的避免掉使用即時運算效果器運算過程中，造成的破音與不必要的雜音。

二、 在 32bit Float 裡能夠在處理音訊階段擁有 1680dB 如此嚇人的 Headroom 動態空間，因此理論上聲音的細緻度也會相對提高，但此處指的是處理階段，而非錄音階段。

● 缺點

一、 32bit Float 在運算上極度占據系統資源。在使用上容易造成電腦負荷過載。如果 Bit depth 取樣位元搭配的 Sampling 取樣頻率高於 96kHz 或更高。考量電腦本身的效能為最需要擔心的第一要件，否則將造成效能不足的窘態，進而影響工作過程。

二、 32bit Float 所生成的檔案占據太多電腦容量。以一般狀況的 16bit/44.1kHz 雙聲道 5 分鐘 CD 音訊大小計算約為 50MB，而 24bit/48kHz 的雙聲道 5 分鐘音訊大小約為 82MB。但在 32bit Float/48kHz 的雙聲道 5 分鐘音訊大小約為 109MB 左右。

進行混音作業時，整個專案裡所需要的聲音檔都會統一儲存在專案裡的 Audio file 資料夾裡。在數位系統時代，軌道的限制已不像早期那樣的拘束與限制，每個專案動不動就是 50、60 軌以上，軌道與軌道之間又擁有無法計算的聲音素材塊。若整個專案是建立在 32bit Float 的環境下，這個專案檔可能會由數 GB 起跳，不僅占據電腦容量，也容易拖垮電腦效能。

- 盲點

一、 即便全世界的 DAW 數位音訊工作站龍頭軟體 Avid Pro Tools 也已經開放使用者在 32bit Float 環境下工作，但以 2016 年全世界主流的錄音室所支援的最高設備等級大多數還是 24bit/192kHz 的運算架構上，在 32bit Float 環境進行混音工作並不會對原先錄製的聲音素材有所影響。

曾經有音響廠商試圖推出 32bit 的 AD/DA，但礙於天價、理論值與實際值的匹配問題（類比電路理論值與實際值之間的運算差異，往往不會如現實數字一樣漂亮），並加上現今主流錄音設備的關係，在硬體與軟體無法對等的狀態下，迫使盲目追求 32bit Float 的意義將備受質疑。

二、 Bit depth 在 16bit 與 24bit 的解析度與動態範圍有著極為明顯的差異，這是不爭的事實。然而仔細觀察，對照現實情況中的 Sound pressure level（SPL）聲音壓力位準（俗稱音量），24bit 環境下擁有的 144dB 音量動態範圍其實對於流行音樂產業的處理已經足夠。若硬是將焦點放在 24bit 定點運算與 32bit 浮點運算上來談，即便在 32bit Float 環境下工作，但輸入端環境仍舊維持在 24bit，並無法直接聽出其中的差異。而關於 Sound pressure level（SPL）聲音壓力位準在 Chapter 3 將有更深入的介紹。

三、 在心理學與物理學上來談論，人耳能接收的頻率範圍為 20Hz 至 20kHz，平均的動態範圍約為 130dB。目前錄音工程的硬體技術上，礙於類比技術上對於器材的設計，要能夠做到完全支援的機器單價都非常昂貴，再加上目前主流的 24bit AD/DA，已足夠應付現階段混音工程的需求。

聲音的取樣與量化，決定了聲音素材在後製時的延展性與可調性。

取樣數值需要在前端作業就必須決定，因此瞭解前端過程與最終成品所需要的取樣品質，對整個聲音工程有著舉足輕重的影響。以影像來舉例，如果最終輸出的影像解析度為 1920x1080，但後製時只能在 720x480 的影像上動作，除了解析度不足會導致最終影像模糊之外，工作的困難度也是非常高的；相反的，最終成品只是需要 720x480 的成像，一味堅持 5K 的影像解析度，反而容易造成編輯上的困難。

取樣時需要顧及諸多因素，例如：進行數位錄音的電腦運算強度是否足夠？此專案對於高音質的需求與要求為何？電腦的容量是否足夠？若最終輸出成品為 16bit/44.1kHz 的 CD 音質，最少需要更高一階 24bit/48kHz 的錄音取樣品質，才能夠盡量避免錄製到較差解析度的聲音訊號。

在混音工程領域中，聲音頻譜裡的每一個頻率都「緊緊互相牽連」影響著聽眾的感受。即便 20kHz 以上的頻率無法被人耳直接聽到，但人的生理影響卻會對 20kHz 以上的頻率產生連帶影響，進而造成心理上的變化；而低於 20Hz 的頻率也會透過其他感官被人們清晰地「感覺著」。

即便目前醫學上沒有研究能夠直接證明人耳可以聽到 20Hz 以下或是 20kHz 以上的聲音，但是由於透過其他感官能感受到頻率間牽引對於聲音的影響，因此，考量設備的使用與其他相關因素之下，聲音的高取樣是必要的。瞭解當下的錄音環境、設備分析與最終需要成品的狀況之後，再來討論聲音取樣品質。

空間容量計算

伴隨著高取樣對於電腦空間帶來的負荷，進行混音工程前，事先瞭解專案所產生的檔案大小，可以避免製作中才發現電腦空間不足或是效能無法負荷的狀況。

$$\frac{\underset{\text{取樣頻率}}{kHz} \times \underset{\text{樣本大小單位}}{byte} \times \underset{\text{秒數}}{Second} \times \underset{\text{聲道數}}{Channel}}{\underset{\text{電腦運算單位}}{1024 \times 1024}} = \underset{\substack{\text{無損無壓縮}\\\text{Wave檔案大小}}}{MB}$$

▌電腦運算單位
1024 byte=1 kilobyte (KB)
1024 kilobyte=1 megabyte (MB)

▌樣本大小單位
8bit=1byte
16bit=2byte
24bit=3byte

◀ 聲音檔案大小計算公式

以一首 CD 音質 16Bit/44.1kHz 的雙聲道 5 分鐘音訊為例，帶入公式中可得到無損無壓縮的檔案格式大小約為 50MB，而一般聽眾的 MP3 檔音質約為 CD 音質的十分之一，因此可以推知，一首 MP3 檔案約為 5MB。

16bit / 44.1kHz / 雙聲道 / 5分鐘

$$\frac{\underset{\text{取樣頻率}}{44100} \times \underset{\text{樣本大小單位}}{2} \times \underset{\text{秒數}}{300} \times \underset{\text{雙聲道}}{2}}{\underset{\text{電腦運算單位}}{1024 \times 1024}} \fallingdotseq \underset{\substack{\text{無損無壓縮}\\\text{Wave檔案大小}}}{50MB}$$

◀ 將資訊代入公式計算得知無損無壓縮的 Wave 檔案大小約為 50MB

　　一個常見的迷思，一般聽眾最常出現的錯誤認知就是單看聲音檔案的大小來判別聲音內容的品質。雖然取樣品質愈高，呈現的聲音還原度愈高，但不一定會與檔案大小成正比。在數位化系統裡，即便原先的取樣品質較低，透過數位模擬的方式，仍然可以強制將音訊檔案回填成更高取樣的品質，但這個動作造成的聲波斷層是非常可怕的，這也是造成只看檔案大小卻不一定能得到高品質聲音的原因，音質的表現必須在混音工程中層層把關，並透過耳朵仔細聆聽。

1.3
Targets
混音的目標

▲ Blue Flash Studio

　　混音工程，重要的是過程裡的那一千個小細節，而非表面上看到的那幾個大重點。混音師所做的每一個小動作，必然有他的道理與原因；混音如同藝術，在創作的過程中真的很難有必定的目標或答案，不過我們仍舊可以歸類出幾個項目，這些往往是在進行混音工程時追求的幾個大重點，再由這些延伸出幾百甚至於是幾千個小細節。

Clarity 清晰度

在作品內的每一個聲音,都應該是乾淨清晰的。

除非專案或某些橋段特意的設置,否則應該沒有人希望自己的聲音作品有任何混濁、模糊的聲音,也不希望有任何多餘的噪音或可能造成與其他聲音頻率打架的機會。確保每一個聲音在作品中的辨識度與獨特性,是重要且非常費工的事,即便是重金屬樂團的吉他破音,聽起來又麻又破,也要破的非常漂亮且清晰。

Separation 分離度

好的混音應該要將清晰、定義明確的聲音展現給聽眾。

每一個聲音的配置應該是清楚明朗的，將聲音拆解分離可以加以配置聲音位於整體音場的位置與方向，同時也可以達成清晰度的目標。

Balance 平衡

好聽的混音聽起來應該是舒服的，能夠長時間聆聽的。

聲音的平衡表現，攸關聆聽者的聆聽次數與長度，無論是音量大小、左右平衡，當太專注於某個頻率或樂器的表現，就有可能造成刺耳感或聽覺麻痺，反而錯失了聆聽的重點。因此，在平衡上的處理，應以舒服、自然的方式呈現。

Dynamic 動態

動態表現可以說是整個混音案子裡最困難且最重要的事之一。

無論是單純的聲音或是樂器演奏，本身皆擁有「呼吸」。在音樂作品中，錄音師與混音師的工作就是極力將演奏者的「呼吸」保留下來，並使其更加亮眼，而這也是常被爭論的問題—真實樂器演奏與虛擬樂器演奏的差異。動態處理不管是音量的起落，或是整體音訊大小的處理，常會出現「多一點太多，少一點太少」的情況，非常需要經驗的累積。

Sound Image 聲音圖像

好的混音中，每一個聲音都該擁有屬於它的位置。

好的音場設計可以使每個音符與樂器擁有專屬的位置與伸展的條件，當然這取決於曲風與製作者想表現出的空間環境而去安排各種變化。作者認為，好的音場不該只有固定模式，聲音與聲音之間相輔相成，並且將歌曲的空間感詮釋出來，就是好的音場表現。

Creativity 創意

好的混音，混音師的創意占了非常大的部分，它對於曲子的形狀有著極大的影響。

一首混音作品中，沒有一個地方是不重要的，沒有一個細節是不被注意的。臺灣流行音樂產業幕後功不可沒的「混音界的高潮隊長」Killer 王俊傑老師，曾經在某個案子裡，為了增加曲子的豐富性，花費 6 個小時去剪輯前奏泡泡的聲音，才成就了最終歌曲前奏中的創意聲效。

混音師在製作混音專案時，是否能就不同曲風去思考，什麼樂器或什麼頻率是這首曲子的重點特色，又可以透過何種方式詮釋？這就是混音師的創意與功力！也是聲音製作中，混音的魔力與魅力。

Killer 王俊傑老師是華語樂壇最重要的混音師之一，混音風格多變且節奏分明，是各大製作人爭相合作的混音師，作品見於張雨生、張惠妹、黃小琥、S.H.E、潘瑋柏、蔡依林、蕭敬騰、蕭亞軒、林俊傑、羅志祥、周華健、F.I.R.、丁噹、梁文音等專輯中，縱橫樂壇二十餘年，混音作品超過兩千首。

1.4
Preparations
混音作業前須知

　　混音工程中，混音技巧永遠是熱切討論的主題。閱讀至此，應該已經大略瞭解混音工程的目標與工作、起承轉合，但還有些許事項，若非是長時間累積經驗的專職混音師，又沒有正確的環境與空間，這時若能花些時間來探討前置準備，才能提升工作效率。

　　數位化普及的時代，錄音門檻不像早期那麼高，在自宅製作音樂，俗稱「宅錄」、「宅 Mix（或稱宅咪）」等名詞逐漸融入音樂工作者或喜好音樂的玩家心中。但也因爲門檻降低，臺灣又尙未擁有完善的教學配套與學習途徑，許多該有的技巧、技術與想法並未落實紮根，導致錯誤的觀念成爲後期製作的巨大阻礙。

Technical Preparations 技術準備

　　因爲科技的進步使得入門門檻降低，許多人對於基礎知識尙不瞭解，就開始進行後端工作，好比還沒學會走路就嘗試游泳與飛天，回到陸地卻發現只能站在原地無法前進。對於基礎的不純熟往往會帶出不正確的觀念，像是許多人認爲錄音工作就是架設麥克風、混音工作就是坐在控台前推 Fader 推桿，這可是大錯特錯。接下來我們先從技術層面開始討論。

聲音的訊號流程

　　透過瞭解聲音製作的硬體與軟體的配置，來弄清楚聲音訊號的來龍去脈，是錄音師與混音師必學的一堂課。

- Signal Chain 訊號鏈

　　聲波透過介質的傳送使振膜共振，引起線圈作用產生磁量變化，轉變成聲音訊號進入 Signal input（Mic 或 Line，兩者都是聲音訊號的輸入方式，但有著功率的差異），聲音訊號從入口進入經過中繼站 AD/DA 的轉換成爲了數位訊號後，最終送到電腦硬碟的儲存端，這樣的程序稱爲 Signal chain 訊號鏈。

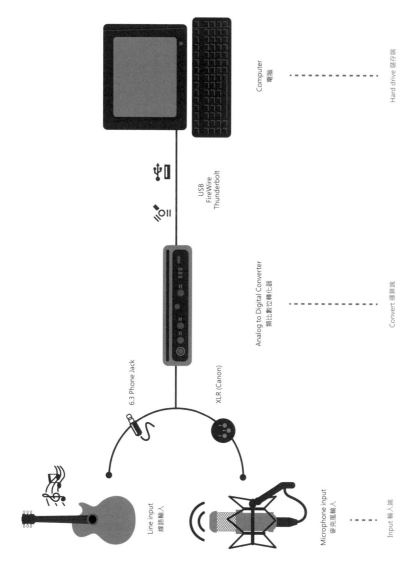

Computer
電腦

Hard drive 儲存端

USB
FireWire
Thunderbolt

Analog to Digital Converter
類比數位轉化器

Convert 運算端

6.3 Phone Jack

XLR (Canon)

Line input
線路輸入

Microphone input
麥克風輸入

Input 輸入端

▲ 聲音工程中最基礎的 Signal chain 訊號鏈

• Signal Flow 訊號流程

透過 Signal chain 訊號鏈更深入地探討聲音訊號的變化與處理，當中的細節流程稱為 Signal flow 訊號流程。

由於 DAW 數位音訊工作站的興起，錄音室裡的聲音訊號流程通常會以 AD/DA 機和電腦硬碟為中心，將整個流程拆為 Recording signal flow 錄音訊號流程和 Monitoring signal flow 監聽訊號流程兩個階段。Recording signal flow 為聲音進入 ADC（Analog to Digital Converter）前的流向，而 Monitoring signal flow 為輸出至 DAC（Digital to Analog Converter）後的走向。

Signal flow 訊號流程會依照音樂產業、工作使用時機、硬體設備與軟體內部連接而有不同的串聯方式。

Signal Flow Chart 基礎錄音工程訊號流程解析圖

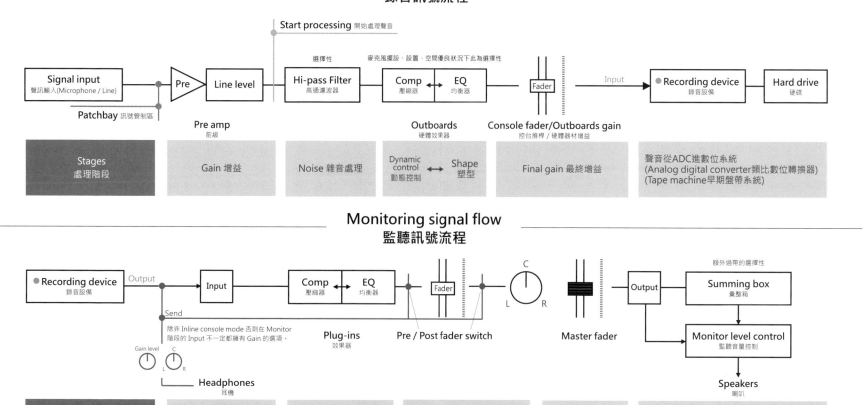

Recording signal flow
錄音訊號流程

Start processing 開始處理聲音

選擇性

麥克風擺設、設置、空間優良狀況下此為選擇性

| Signal input 聲訊輸入(Microphone / Line) | Pre | Line level | Hi-pass Filter 高通濾波器 | Comp 壓縮器 | EQ 均衡器 | Fader | Input | Recording device 錄音設備 | Hard drive 硬碟 |

Patchbay 訊號管制區

Pre amp 前級

Outboards 硬體效果器

Console fader/Outboards gain 控台推桿 / 硬體器材增益

| Stages 處理階段 | Gain 增益 | Noise 雜音處理 | Dynamic control 動態控制 ↔ Shape 塑型 | Final gain 最終增益 | 聲音從ADC進數位系統 (Analog digital converter類比數位轉換器) (Tape machine早期盤帶系統) |

Monitoring signal flow
監聽訊號流程

額外過帶的選擇性

| Recording device 錄音設備 | Output | Input | Comp 壓縮器 | EQ 均衡器 | Fader | C / L R | Master fader | Output | Summing box 彙整箱 |

Send

除非 Inline console mode 否則在 Monitor 階段的 Input 不一定都擁有 Gain 的選項。

Plug-ins 效果器

Pre / Post fader switch

Monitor level control 監聽音量控制

Gain level / C / L R

Headphones 耳機

Speakers 喇叭

| Stages 處理階段 | Assignment / 配置 Pro tools audio tracks /Consoles | Dynamic control 動態控制 ↔ Shape 塑型 | Adjust level & Pan 調整音量水平與定位 | Monitoring level 監聽音量水平 | 聲音從DAC 出數位系統 (Digital analog converter數位類比轉換器) |

* 此圖主要關注項目為 Recording 錄音和 Monitoring 監聽大致流程；實際上於不同 Console 控台或 Mixing 混音與其餘相關階段，會有不同設置與注意事項。

* 數位化 Recording device 錄音設備不如 Tape machine 早期盤帶系統即時作業只需考量磁帶長度，因此於流程中產生的 Latency 時間差需特別注意。

* 在 Aux sends 輔助傳送的設置當中，Pre / Post 會連帶影響聆聽的聲音訊號，通常需要依照 Headphone 耳機或相關調整而來決定 Pre / Post 設置。

* 擁有 Patchbay 的錄音室，可自行於訊號輸入時調整聲音訊號的走向，暫不在此圖的討論範圍。

Patchbay 訊號管制區

　　Patchbay 訊號管制區是錄音室裡擁有極大權利與彈性的訊號管理區塊，也是進入一間錄音室工作之前必須先花費時間瞭解最重要的區塊。混音師透過 Patchbay 訊號管制區跳線的概念，能夠自行決定聲音訊號流程。一般來說，Patchbay 訊號管制區至少會連接四樣錄音室裡的區塊：Microphone input 麥克風接口、Outboard gears 硬體效果器設備、Console 控台、Recording devices 錄音裝置等器材。

　　最基本的 Patchbay 訊號管制區可以管理聲音訊號從哪一個麥克風入口來，要到哪一個硬體效果器的中繼站，再送到哪一個錄音介面的入口。如果沒有設計 Patchbay 訊號管制區的個人工作室，就要額外耗費較大的精力在設備上進行重新插拔的動作，容易造成線材的損耗與時間的浪費。

▼　Patchbay in Avex Honolulu Studios

Patchbay 訊號管制區為大型錄音室在設計階段就必須考量的，在 Patchbay 訊號管制區的設計可以依照使用者需求分成三種：Thru 直通式、Half normal 半標準式、Normal 標準式。

以 Half normal 半標準式為例，它的設計非常聰明，當不需要特別改變聲音訊號的流向時，Patchbay 訊號管制區會將訊號由麥克風的輸入孔直接送到錄音介面的輸入口。

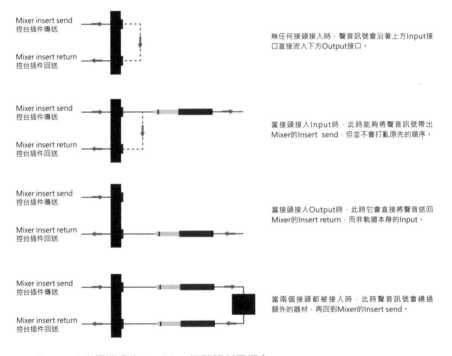

Mixer insert send
控台插件傳送

Mixer insert return
控台插件回送

無任何接頭接入時，聲音訊號會沿著上方Input接口直接流入下方Output接口。

Mixer insert send
控台插件傳送

Mixer insert return
控台插件回送

當接頭接入Input時，此時能夠將聲音訊號帶出Mixer的Insert send，但並不會打亂原先的順序。

Mixer insert send
控台插件傳送

Mixer insert return
控台插件回送

當接頭接入Output時，此時它會直接將聲音送回Mixer的Insert return，而非軌道本身的Input。

Mixer insert send
控台插件傳送

Mixer insert return
控台插件回送

當兩個接頭都被接入時，此時聲音訊號會繞過額外的器材，再回到Mixer的Insert send。

▲ Half normal 半標準式的 Patchbay 訊號管制區概念

至於是否需要 Patchbay 訊號管制區？其考量點在工作室錄音介面的 I/O 數量多寡、有多少的額外硬體效果器設備、是否需要不定期更換聲音的進出口等。

Noise 雜音

　　無論是怎樣的混音目標，除非刻意（但這樣的情況極為少數）為之，否則通常都會盡力將整個工作環境中的噪訊比降至最低，以避免干擾造成後續工作上的困擾。

• Noise Floor 底部噪音

　　不管是播放音樂的機器或是生活環境，總有許多生活上可聽到的 Noise floor 底部噪音（以下簡稱底噪）圍繞著。

　　在執行錄音工作時，聆聽聲音的動態範圍最少可能受到三種底噪影響：播放器材的底噪、室內環境的底噪、室外環境的底噪。以圖為例，在這樣的狀況下，只能聽見 Noise floor 底部噪音線上方的動態範圍音訊，下方動態範圍內的音訊容易被壓蓋與忽略，故在聲音檢查上需要非常注意。

　　噪訊比是用於說明工程所需要的聲音訊號程度與當下背景雜訊程度的比較，用以表現訊號強度與雜訊強度的比率，通常以 dB 來表示。

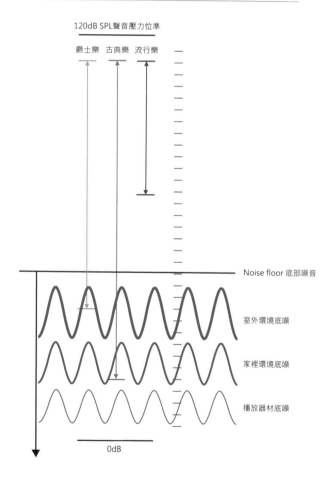

▲ Noise floor 底部噪音

- Extra Noise 被製造出來的雜音

在專業錄音室裡，電容式麥克風是錄音的必備工具。大震膜又敏感的收音性能正是其強大之處，而錄音時有幾個小細節必須注意：錄音時，監聽耳機的聲音是否串音被錄進來？樂手錄音時，衣服的摩擦聲或煽動、揮動的聲音是否恰巧被錄進去了？在沒有將每一次錄音時的滑鼠點擊聲和鍵盤敲打聲、電腦風扇聲消除？錄音時，錄音師與樂手的 Talkback 對講機講話部分是否截斷了？這些都是幫助混音師在後續處理時更順暢的關鍵。

當無法避免小雜音或固定出現的小頻率聲響時，使用 Noise gate 噪音閘門來控制聲音的乾淨度非常方便。例如錄製爵士鼓或節奏樂器時，通常希望收到完整又具備顆粒形狀的聲音，這時好好地掌控 Noise gate 噪音閘門，就可以得到很乾淨的鼓聲形狀，透過 Noise gate 噪音閘門的使用，檢查是否將雜音處理乾淨也是很重要的細節。關於 Noise gate 噪音閘門在 Chapter 5 將有更深入的介紹。

Working Preparations
專案準備

許多專案前的準備，都默默地扮演著幫忙提升整個混音工作進行的流暢程度的角色，愈是充分，愈能夠幫助混音師更佳地掌握整個專案的來龍去脈。

Rough Mix

Rough mix 無處理頻率、剪輯聲音、效果器處理等過多的細節，大致上只是拉一下音量平衡等作業。國外的錄音室流傳著一句笑話：Rough mix = No mix，這句話直接描述了 Rough mix 是粗糙的混音版本。但其實這個說法不完全正確，因為即便是「No mix」的狀況「Rough mix」還是非常重要。

錄製人聲時，如何讓歌手能夠舒適地配唱並發揮其最佳狀態是非常重要的，若能夠擁有稍微處理過背景聲音平衡的 Mix 以利歌手進行配唱，Rough mix 就是極為重要的階段。再者，當製作人想聽錄製完成的作品簡易版本，才能夠提供混音的方向與建議時，Rough mix 就扮演著橋梁的角色。再者，當 Rough mix 完成此階段的任務之後，將 Rough mix 輸出成獨立音檔也有利於之後混音的 A/B Test 交叉比對。

備份每個階段的專案檔

以 Pro Tools 為例，存檔的選項中有一個 Save as 的階段性存檔方式。下面以作者的檔案命名習慣「Bit depth – Sample rate – 專案名稱 – 階段」為例說明。

假設原始錄音完成的檔名為：24-48-The Last 100 Miles-2
（24bit-48kHz- 專案名稱 The Last 100 Miles- 階段 2）
剛完成 Rough mix 的檔名為：24-48-The Last 100 Miles-2-Rough mix
節奏類樂器調整完畢的檔名為：24-48-The Last 100 Miles-2-Rhythm done

諸如此類的將檔案儲存在 Pro Tools 的專案資料夾裡，這樣的好處是當同時處理多個音樂案子時，透過命名就可以讓混音師快速找到每一個階段的檔案，也利於隨時跳回某個階段做修改或繼續工作，還可以防止修改完卻發現前一個版本才是製作人喜好的版本，避免造成無法提供各種版本給製作人挑選的情況發生。

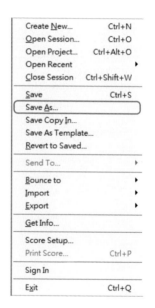

▲ Pro Tools > File > Save As

整理專案與瞭解可用的器材

錄音時，也許因為軌道眾多或現場較為急迫等因素，專案檔雜亂不堪是常有的事。混音工作開始前，將軌道重新放置與標上顏色，可以使畫面乾淨俐落，便於執行下一個階段。

分類時，若發現不需特別處理或同屬性的軌道，可將它們結合，並將整理後的空白軌道刪除。雖然現在的 Pro Tools 已經不像早期有軌道數的限制，但就像在電腦桌面放了一大堆資料夾，不利於尋找特定檔案。

趁著整理軌道的同時，將額外的
Auxiliary track（Aux track）輔助軌道、
VCA 軌道、Bus 匯合箱、Master track 總
管主軌道重整分類，或考量是否需要額
外透過 Patchbay 訊號管制區將聲音訊號
送到其他硬體，在整理時一次完成，都
能夠幫助混音工作時更清楚聲音流向。

▲　Colour tracks

善用群組與分類功能

善用群組與分類功能，便於在不同種類的軌道快速切換，或快速跳到不同段落，以
Pro Tools 為例，Memory location 標記點功能非常實用。

• Memory Location 標記點

在歌曲上將前奏、主歌、副歌、間
奏等地方標註清楚，不但能夠讓專案檔
一目了然，也能方便快速切換不同段落。

Memory location 標記點功能是絕大
多數人熟知的，但若是能夠再更完善的
使用另外一個整理提示功能— Window
configuration 視窗組態的群組概念，就更
能以清晰整潔的方式分類軌道。

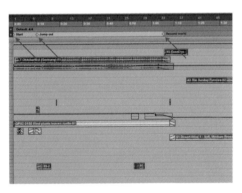

▲　Memory location 標記點於 Pro Tools 的提
　　示功能

• Window Configuration 視窗組態

先將軌道分類完畢，設定好 Memory location 標記點快捷鍵後，可以極快地切換想
看的軌道與分類。這個概念有點像在做影像設計工作時將圖層分類，就可以快速鍵切換
成只看某一種圖層。

舉例來說，設定第一個 Window configuration 視窗組態來顯示全部的聲音軌道，第
二個顯示節奏類樂器軌道，第三個是弦樂樂器軌道，不管專案處理到哪一個階段，混音

師只要在數字鍵盤上按下 .1.（「.」為數字鍵盤上的 Del 鍵）就可以顯示出全部的聲音軌道，而按下 .2. 就可以切換顯示節奏類樂器軌道。

▲ 原先整個專案檔約 40 軌，設置為 W indow configuration.1.

▲ 節奏類樂器圖層設置為 W indow configuration.2.

▲ 弦樂樂器圖層設置為 W indow configuration.3.

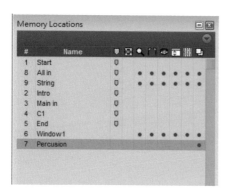

◀ Memory Location 標記點視窗可以設定顯
示標籤、放大記錄、視窗切換與 Window
configuration 視窗組態等功能

Fade In 淡入與 Fade Out 淡出

如非編曲或原曲需要，則須確保聲音素材盡量減少「突然出現」或「突然斷掉」的情況發生。每一段素材的淡入 / 淡出都很重要，然而淡入 / 淡出的技巧非常多，如何不會太過僵硬、機械化，或是如何與 Automation 自動化控制輔佐使用，都是混音師功力的表現。

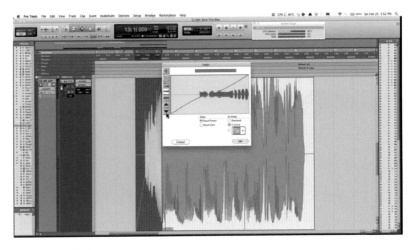

▲　Fade in 淡入

Personal Preparations 個人準備

無論是錄音師或混音師，與樂手或製作人的搭配與溝通，絕對是除了作品成像之外的關鍵。混音師就像魔術師，可以協助歌曲改變面貌且帶來與眾不同的感受，若樂手與混音師在歌曲進入混音階段之前，做足個人準備，對於雙方的合作絕對是加乘的效果。

Tempo 速度與 Rhythm 節奏

對於樂手或錄音混音師而言，正確的拍子絕對是重要關鍵。

現今任何一套非線性剪輯 DAW 數位音訊工作站的 Quantize 量化功能皆已強大到可以應付眾多剪輯工作，像是 Elastic audio 聲音彈性位移或 Beat detective 拍子校準功能，都能夠將聲音訊號重新校正。但正確的拍子可協助混音師省去的麻煩，絕對是一般人無法想像的。

真實樂器演奏時流暢的呼吸，絕對不是透過後製拼拼貼貼所能模仿或重現，不精準的拍子樂句，可能要花雙倍以上的時間，還未必能得到完美的成果。混音師在計算時間與空間類的效果器時，通常也會計算拍子相關的速率與反射，因此，對於節拍的熟悉度也是混音師必備的條件之一。這句話也許傷人，但要是樂手或混音師連拍子都數不好，建議在進行錄音或混音工作前，還是先花點時間練習拍子吧！

▲ 傳統節拍器

作曲與編曲，不是錄音或混音進行時的動作

在混音階段，混音師可以擁有發揮創意的空間與想像，但是歌曲本身的編制與聲音，絕對不是在混音時才被注意。哪裡需要和聲或哪裡需要修飾音，在作曲時即必須決定。作曲或編曲需要思考樂器與樂器之間音符的拉扯，混音階段透過音準校對效果器或剪輯技巧來修改與增加，但絕對不是全盤修改曲目的最佳時機與方式。

在錄音階段就完成樂手想要的 Tone 音調或者曲風也是必要的。雖然混音師在某個層面可稱為「聲音的魔術師」，但不代表他能將原先不夠好的東西「化腐朽為神奇」。舉例來說，原先的錄音素材品質只有 30 分，混音師頂多將它變成 30 分中好聽一點的 100 分，但本質還是 30 分，不可能將它轉變成 100 分。

語言選擇

DAW 數位音訊工作站的歷史可以追溯到 1978 年這個真正造成音樂產業巨變的年代（普遍進入數位化系統製作是 1980 年之後的事），當時剛研發出 DAW 數位音訊工作站。相較於其他傳統產業與領域，混音工程仍是非常新穎且入門門檻較高的學問，而其資訊取得與學習的核心語系以英文為主。

• 取得最新資訊與業內溝通

混音工程本來就是國外的技術，再加上國內相關資訊流通較不發達，不管是最新軟硬體、網路教學、心得分享、雲端教程、開箱文與原廠的溝通，90% 以上都是英語，若是枯等別人翻譯、撰寫成中文，恐怕接收到的已經是二手或三手資訊了。

不管在執行編曲或混音的作業時，除非完全使用原生的效果器或音色，否則使用外掛的其他廠牌音色非常常見，這些不一定有繁體中文介面。若一開始接觸繁體中文的 DAW 數位音訊工作站，卻叫出英文版的 Plug-in，容易造成使用者錯亂。

▲ 國外知名的音樂科技雜誌，依序為《Future Music》、《Computer Music》、《Sound on Sound》

沒有混音師天生就與哪一套 Plug-in 形影不離。除了軟體之外，經典的硬體效果器 95% 是以英文出廠，除非特地在硬體貼上每一顆旋鈕的譯名，否則幾乎看不到中文。習慣了英文專有名詞的軟硬體，下次接觸全新的效果器時，才不會有對應上的問題。

一套全新的效果器出廠時，最好的學習方式就是透過閱讀原廠說明書去瞭解參數及其互相搭配的意義。而原廠說明書大部分是英文版，即便是歐洲國家生產的效果器，通常也可以找到英文版本。以 Pro Tools 為例，原廠免費提供了共 107MB 關於效果器、軟體的說明書，有時候光是攻讀說明書，所學到的知識就遠遠超乎想像。

因此，在與國外錄音師、混音師合作時，直接使用英語的專業名詞溝通才能夠精準到位，即便在臺灣對於混音工程的討論，大部分也是使用英文。

來看看一個例子，短短的三句對話完全點出為何不能使用中文。

甲：你可以幫我把吉他軌增加一個延遲嗎？
乙：為什麼？這邊的延遲只有 30 毫秒，還算是可容許範圍當中。
甲：不是啦，我指的是增加一個 Delay 效果器的延遲。

甲和乙並沒有誰對誰錯，只不過他們指的是完全不一樣的兩件事，只是因為語言的關係才出現代溝。如果甲和乙的對談如下：

甲：幫我在吉他軌掛一個 Delay plug-in。
乙：喔，好。
乙：這軌的 Delay compensation 有跑出幾毫秒耶。
甲：也許是這個效果器搞的，把它 Inactive，聽聽其他軌試試。

在使用效果器處理時，常需要將聲音送到某個效果器中處理音訊，然而過程中很可能產生些許 Delay compensation 訊號延遲補償的延遲狀況，因此特別需要注意這個問題，否則會造成此軌與他軌的聲音不同步。如果今天甲和乙直接使用英文專有名詞溝通，誤會就不會發生了。

• DAW 數位音訊工作站的資訊幾乎無縫接軌

DAW 數位音訊工作站使用的專業名詞幾乎一樣，開啟聲音軌道永遠是 Audio track，而開啟 Aux track、MIDI track 也不會因為換了 DAW 數位音訊工作站就跟著換湯換藥。彼此間的差異只在於位置、使用開啟模式、快捷鍵的些許不同而已。每一套 DAW 數位音訊工作站都有其各自的強項及擁護者。做音樂最需要克服的就是軟體音源的迷思，世界上只有主流的軟體，沒有最強的軟體。

Apple 公司出品的 Logic 擁有非常強大的內建音色庫，非常適合純作曲、編曲的音樂人，但不代表它不能夠錄製出漂亮的音與混出好聽的聲音。

Avid 公司出品的 Pro Tools 為目前全世界主流的錄混音軟體，對於不同檔案格式的相容能力佳，還能夠用來編曲、製作 MIDI，並可透過額外購買的方式取得世界級的音色與音源。

Ableton 公司推出的 Live 使用者雖然遠少於 Pro Tools、Cubase 或 Logic 等主流 DAW 數位音訊工作站，但是它擁有非常強大且直覺的即時運算能力，即便推出的年代不算太久遠，近年廣受 DJ 或者現場演出的音樂朋友喜愛。

▲ Apple 公司推出的 Logic Pro X

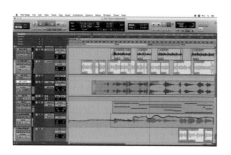

▲ Avid 公司推出的 Pro Tools 12

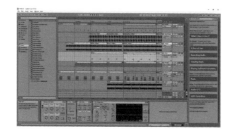

▲ Ableton 公司推出的 Ableton live 9.5

保護自己的耳朵

　　人的耳朵是極爲脆弱且敏感的器官，耳內的絨毛是不會再生的，隨著年紀的增長、環境的影響、聆聽聲音的習慣等，對聲音頻率的反應會不斷衰減，讓聽覺愈來愈狹小。不管是否想以音樂爲工作，都該保護好自己的耳朵，才能夠聽見更豐富、更細緻敏感的聲音！

一張舒服的椅子

　　好的作品沒有一定的公式，卻有著諸多細節，像是椅子就是其中之一。混音絕對是一個長時間的工作，每一次的混音工作超過 6 至 8 小時是常有的事，一張好椅子可以保護混音師的脖子與腰椎，以避免職業傷害。身體永遠是最重要的資產，有健康的身體才能夠走更遠的路。

1.5

Analysis

分析能力

好的混音師，在聆聽自己與他人的
混音作品時，都應具備良好的分析能力
與敏銳度：

▲ 混音師的細膩、專業與美感，都需要時間與付出（Studer A800 Tape Machine）

- 曲風與樂器比例上的搭配。
- 樂器與樂器之間的對話、音量大小、距離、位置與方向。
- 整體聲音作品的音場表現。
- 整體聲音作品於頻譜上的分佈。
- 單一聲音與整體聲音的效果處理。
- 整體聲音作品的清晰度、乾淨度。
- 隨著聲音作品的發展，每個階段的主角與配角。

　　分析能力隨著經驗累積而愈來愈精煉後，混音師通常會擁有自己的混音素材庫，此素材庫通常包含混音師最熟悉的各式風格曲子，除了在面對不同曲風時，有 Sample 可以比對之外，進入不同的錄音室空間時，也可以幫忙混音師瞭解不同空間裡的聲學反應與聲音變化。

Monitoring

監聽系統

工欲善其事必先利其器,監聽系統的挑選與設置,是混音工程中最該花時間與資金的地方。正因影音如魚水般密不可分,故談論到聲音時最常拿影像來舉例:處理影像時,調光師若使用未經校正的螢幕進行影像校正與調光工作,可能導致辛苦製作的影像在其他螢幕上顯示出極可怕的色差與色偏,調再久也是做白工,調校精準的螢幕絕對是工作前要先搞定的;同樣的道理,聲音的準確性之於混音工程自是極為重要的。

2.1

Basic
Monitors
Setup

基礎監聽喇叭設置

混音工程能為聲音塑造出新的生命，故在思考如何製造出好聲音之前，確保聲音在播放系統中不會產生太過誇張的聲音呈現效果與盡力的原音重現，才是工作前該好好下功夫的地方。然而，當聲音在製作階段能夠有效地減少渲染，更加真實地還原，混音師才能夠確保最終作品完成後，無論是透過手機、Hi-Fi音響、電腦喇叭等系統，皆能夠得到相近的結果。幫助混音師精準掌握聲音，正是監聽系統的重要之處。

監聽喇叭的設置，
是聲音準確性的最大關鍵

何謂監聽系統？

單就喇叭來形容，市面上的聆聽系統往往會以超重低音或其他方式來增強喇叭的聽覺體驗，音樂經過喇叭的美化，將聲音本身的缺點藏匿起來。在經過渲染的喇叭下工作，人類的耳朵非常容易被欺騙，誤認為音樂本身的厚度或者在某些頻率上的表現已經足夠，而不經意地製作出失衡的作品。若將此作品移至其他聆聽系統播出，聲音的怪異情況將會原形畢露，而這就是監聽系統與一般播放音響系統的最大差異。

更直白地說，專業的監聽系統與一般聆聽系統最大的差異在於給予聆聽者的反應─聽開心與聽不開心。一個試圖將聲音的缺點顯現在音樂工作者前，另一個卻是試圖將所有缺點掩藏在音樂聆聽者前。

監聽系統非常繁瑣且複雜，在談論監聽系統時，絕不只喇叭的廠牌與規格，而是整個監聽供應鏈都需要考量。換言之，從錄音室裝潢隔音設計、錄音室用隔音玻璃纖維、監聽喇叭、避震喇叭架、ARC 空間校正系統、吸音板、擴散板、調音技術等關鍵的環環相扣，才是完整的監聽系統鏈。

聽覺渲染效應意指，聲音作品透過操作者使用的監聽系統，經過一層未受控制的染色，而無意間改變了聲音的表現。

昂貴的喇叭不一定能聽見標準的聲音

好的監聽系統，可以用來聆聽聲音的細節與真實還原，影響監聽系統的原因很多，像是喇叭本身的設計、監聽系統的擺放位置、混音師的聆聽位置、聆聽空間的校正以及環境設計等，皆是影響最終聆聽聲音的原因。對於想要挑選或更換喇叭的朋友，一定要先打破一個迷思：**昂貴的監聽系統，若未經過縝密且專業的調整，不可能得到等價的聲音。**

擁有千萬超跑，但卻只能在充滿石頭的山區小路駕駛，怎麼樣也無法發揮超跑本身的性能，何嘗不是一種浪費呢？相反的，購買了親民的 Toyota 房車，但開在寬廣且看不到盡頭的道路上，輕輕鬆鬆也能夠將這台車發揮到極限吧？

執行混音工作時，千萬不能拿 PA 喇叭或一般賣場販售的電腦喇叭來進行單一全方位的混音工作，這只會白忙一場。如何挑選適合音樂工作者的喇叭，是剛踏入混音工程的音樂工作者該做的功課。其實挑選喇叭與挑選麥克風一樣，並沒有最完美的決定。每一支麥克風都有它的獨特性，適用於不同的樂器、歌手與使用時機。不過以喇叭來說，下面這個觀念一定要事先建立—喇叭的規格必須建構在空間環境之上。

> PA 喇叭為 Public address system 公共廣播系統，也就是一般廣播使用的擴大播放系統。

Bob Katz 曾經在《The Audio Mastering Handbook》一書中提到："**A great monitor in a bad room does absolutely nothing for you, so if you don't start with a terrific room and a plan for how it will integrate with the monitors, you can forget about it. No matter what you do, they will still suck, and you will still have problems.**"

「如果你沒有一個經過縝密設計的監聽空間,還有瞭解你的喇叭的特性,就算使用再好的喇叭也是枉然,你得到的聲音根本不值一提,你永遠都會卡在監聽這一關。」

Bob Katz 為知名《The Audio Mastering Handbook》與多本暢銷聲音工程書的作者,同時為葛萊美獎聲音後製的常勝軍,設計許多軟體效果器的 Bob Katz,常參與知名音樂科技雜誌《Computer Music》共同效果器的技術研發,更是 K-System 聲訊聆聽系統 K-Stereo、K-Surround 的研發者之一,在混音工程的領域上有著難以數計的貢獻,在國際上享有極高知名度。

音樂工作者若被不正確的低音頻率包圍，怎麼可能聽見準確的聲音，又怎麼可能製作出好的混音呢？大型喇叭的低音單體通常較小型喇叭的單體大，在低音頻率的表現也會更加完全且飽滿。當空間環境較小時，透過聲學原理得知，聲音容易於空間中產生反射、吸收與重疊等狀況，低音頻率比起其他頻率又更難以消散，就會變成我們說的「轟轟作響」的聲音。

若聆聽環境不大，卻選擇了大單體瓦數喇叭，低音頻率在未經特殊隔音設計的空間內，交疊太過嚴重，使得喇叭本身的渲染效應，以及聆聽環境的聲學原理左右了音樂工作者的耳朵，不但無法發揮喇叭的價值，更可能發生像是頻率堆積而產生的誤判等難以想像的可怕後果，這可是在進行混音工作時的大忌；相反的，若聆聽環境太大卻選擇太小的單體瓦數喇叭，也無法精準詮釋聲音的表現。總之，在挑選並採購適合的喇叭之前，除了先建構好的監聽環境之外，瞭解自己工作的聆聽空間大小，亦是輕忽不得。

監聽喇叭的挑選

經過前面的說明，我們已經瞭解監聽系統與一般聆聽系統的差異，以及搞定混音作業前，能夠聆聽到精準的聲音是執行混音工作很重要的事。但是由於物理上的限制，而喇叭的發聲構造，又有一些無法突破的先天性障礙，究竟該如何挑選適合自己的喇叭？又有哪些該注意的事項呢？

Frequency Response 頻率響應

透過觀察頻率響應圖可以瞭解喇叭本身的頻率圖表是否夠平坦，是否不會針對於某個頻率進行特別的增益或衰減。也就是說，喇叭的好壞在於是否有能力將聲音盡力還原到它最原始的狀態。

Frequency response 頻率響應意指整體頻率的表現，常用來測試麥克風與喇叭的頻率屬性、該空間最佳聆聽位置、喇叭的擺放位置、反射聲於空間的強度與反射次數等。

• Accuracy 精準度

國外常使用 Accuracy 精準度來做為監聽喇叭的標準，若是用另外一個更能夠輔佐與貼近這個名詞意思的詞彙來表示，「渲染度」似乎更能貼切的詮釋。監聽喇叭出廠時的規格測試，一般是在極為寧靜且無過度渲染的環境下，例如無響室。將該喇叭放置在不同空間時，偵測出來的頻率響應圖絕對不可能與原廠釋出的圖表完全相同。

然而，即便原廠推出的規格表不能當成百分百信賴的依據，觀察頻率響應圖來挑選喇叭還是極為重要的。原因在於進行混音工作時，渲染度愈低，混音師所聽到的聲音客觀度就愈高，愈不容易受到不同頻率傳導出來的主觀價值而改變。

• Translation 轉移度

Translation 轉移度也是一個進行混音時，常拿來判定監聽喇叭好壞的重點。完成混音作業時，需要瞭解它在一般家庭聲音系統、播放喇叭的聲音轉換度是否足夠。當愈熟悉自己習慣的監聽系統，愈瞭解它們與一般大眾聆聽系統之間的差異，就愈能夠在製作階段掌握最終成品的形狀。這也是在專業錄音室裡 Monitor controller 監聽控制系統必須存在的原因，它能夠幫忙混音師適時地切換好幾對不同的喇叭，以檢測同一段聲音轉移到不同喇叭上是否差異過大。

Monitor controller 監聽控制系統的選擇須以不影響整體聲音聆聽為第一要點，除此之外，能夠額外提供不同功能切換的 Monitor controller 監聽控制系統，可提供混音師更多檢查作品的方式，像是單聲道切換、左右聲道切換、不同聲音訊號輸入源之切換等。

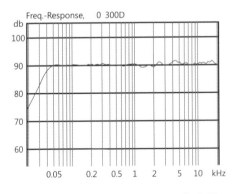

▲ K+H O300D 的頻率響應圖，由此圖可見頻率分布表現極為平均，因此對於混音工作造成的渲染度較低

▲ Avocet II Monitor controller

Tweeters 單體數與 Program Power 瓦數

喇叭的單體大小與瓦數通常決定了聲音的出力程度。

一般來說，喇叭單體愈大與瓦數愈大時，往往聲音共鳴箱也會連帶增大，因此出力度會愈高，細節也更能夠清晰地呈現。因此有一派論調指出，在聆聽範圍許可的前提之下，盡量不要選擇低音單體小於4至5吋的喇叭，爲的就是避免小單體與小瓦數的喇叭在細節的呈現不夠清晰，而導致對於聲音頻率的誤解。

單體的大小對於聲音細節的影響並非一定，這點在幾個知名的喇叭品牌都能夠得到非常合理的驗證。像是瑞士的PSI Audio，它獨特的設計反而在這點能夠有著革命性的突破，小小單體卻有著極爲嚇人的聲音清晰度。因此在預算與空間限制上，喇叭的挑選不該被單體的大小迷惑。挑選喇叭還是需要回歸到喇叭與空間大小是否匹配，才能夠得到最佳的聲音表現！

一直到 2016 年，還沒有任何一顆單體是可以對於全頻段呈現出近乎百分之百完美的 Frequency response 頻率響應。每顆單體在設計上都需要考量到整體電路與箱體等的設計，才能夠發揮出一加一大於二的成效。

▲　PSI Audio A14，163 x 243 x 170mm 的體積，即便是小音量的輸出，各頻率的表現卻仍舊無比清晰

談到單體數與瓦數，除了喇叭本身的單體數量與平均承受音壓的情況之外，還需要注意喇叭箱體是否擁有低音氣孔或爲全密閉式。擁有氣孔設計的喇叭，能夠增加低頻的發聲，但相較於頻率的動態反應更爲敏感的全密閉式箱體，在聆聽上則各有利弊。

還有一種喇叭單體技術—同軸技術。同軸技術是將高音單體設置在低音單體的正中央，在聆聽時會感受到低音與高音來自於相同的位置。此設計能夠避免高音單體與低音單體因分開時所造成的聲音位差，或是較劣質的 Acoustic centre 聲學中心設計位置，也能夠有效避免因爲角度或距離產生的音色損耗。

2 Ways 二音路 vs 3 Ways 三音路

在開始談論更爲複雜的三音路喇叭之前，先來談談二音路喇叭 HF Driver 高音單體與 LF Driver 低音單體之間的微妙關係。低音單體與高音單體在傳導與設計製作上有著非常大的差異性，幾乎是由兩種不同的設計原理構成。低音單體需要較大且較重的圓錐形紙盆，並且是能夠推動大量空氣進而產生震動的單體；相反的，高音單體總是在設計上要求震膜必須輕、體積要小，並能夠以極快的速度反應的單體。正因爲這兩種單體在設計原理上是不同的，連帶著每顆喇叭在設計上，高低音單體的距離與大小皆會影響相位失眞等問題。

▲ ATC Monitor SCM40, LF Driver

▲ Prodipe TDC5 同軸喇叭

▲ ATC Monitor SCM40, HF Driver

一般喇叭在設計上至少都會擁有一個低音單體與一個高音單體來做為主要揚聲的喇叭系統，一般常見的做法是以約 2kHz 的中心頻率點做為兩單體的交界區塊。除非是像 Auratone 或 Subwoofer 超重低音喇叭這種有特殊功能的單體喇叭，否則以一顆單體而言，不太能夠完整地在平等音量內表現出全頻段的聲音頻率。因此大部分的喇叭會使用兩個或是更多數量的單體設計，這也就是命名為 2 Ways 二音路設計與其他多音路設計的差異。

- Acoustic Centre 聲學中心

　　Acoustic centre 聲學中心的準確度，為評估喇叭設計優劣的方式之一。以 2 Ways 二音路喇叭為例，Acoustic centre 聲學中心位於高音單體與低音單體的中間點；3 Ways 三音路喇叭的 Acoustic centre 聲學中心位於高音單體與中音單體的中間點，或者較特殊的狀況，有些品牌的喇叭 Acoustic centre 聲學中心會抓在兩顆高音單體的中間。當然，這類的設計並沒有一個絕對標準的位置，大部分是需要依照喇叭本身的大小與單體之間的距離來判定。當 Acoustic centre 聲學中心愈準確，愈能夠避免喇叭本身的相位問題與提升聲音的精準度。

▲　Auratone 5C

- Crossovers 分頻區塊

在所有的喇叭設計中，各個單體裡都有依照不同頻率中心點所設計的 Filter 濾波器。而頻率中心點會隨著不同的廠牌、喇叭大小略有不同，但簡單的說，每個單體之間，不同 Filter 濾波器相交處稱為 Crossovers 分頻區塊。

喇叭是否能在 Crossovers 分頻區塊有較少衰減或者是較為自然的補償現象？聲音在通過這兩端的交叉點時，是否能維持原先的頻率表現且能夠維持正確的相位？這些都是評斷該喇叭等級的重點。

以二音路喇叭為例，高音單體與低音單體相接的地方為該喇叭的 Crossovers 分頻區塊，當聲音通過此區塊時，會因為低音單體與高音單體的組成模式完全不同，造成該部位的聲音產生低頻過於空洞、高頻不夠紮實的情況。換句話說，Crossovers 分頻區塊的聲音表現亦決定了喇叭 Accuracy 精準度，當聲音頻率接觸到了此分頻區塊時，會開始在高音與低音區塊間彼此以衰減的方式，呈現類似 Crossfade 交叉淡變的表現。當喇叭的設

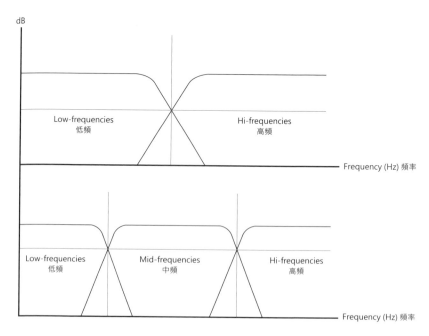

▲　2 Ways 二音路與 3 Ways 三音路喇叭的 Crossovers 分頻區塊

計上，擁有了更多的 Crossovers 分頻區塊來做為高、中、低音頻率之間的互補，便造就了準確性高，又如此昂貴的 3 Ways 三音路、4 Ways 四音路喇叭。

即便可透過圖示瞭解 Crossovers 分頻區塊在聲音的細節與細緻程度上占據了極大的部分，然而，這並不代表在喇叭的品質上，當愈多音路的喇叭造成愈多的 Crossover 分頻區塊時，就會使得這顆喇叭對聲音的詮釋更加精緻、愈適合混音工作的使用。

當喇叭擁有三個（包含以上）單體，所面臨的問題也就更加複雜，像是需要考量更多因為線路設計而容易造成的相位問題、分頻區塊的衰減是否容易造成染色等現象。愈精密的分頻區塊，愈要注意每個單體之間的平衡，需要解決的困難也愈多，這些都是換取聲音頻率的高細節與高還原表現的重點。

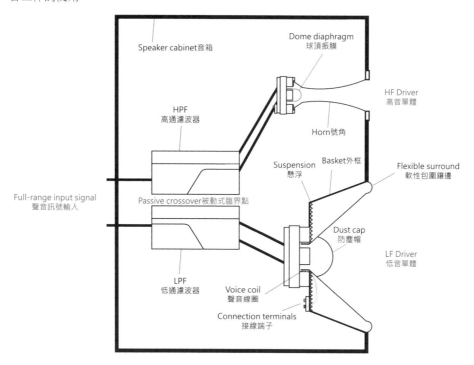

▲　Passive crossover 被動式喇叭音箱體結構圖

Controllability 可控性

　　許多主動式喇叭的外部箱體，還額外提供使用者更多掌控與調整聲音的選項，這樣的設置不但更能夠補足喇叭於空間上的缺陷，透過正確的使用，亦更能夠增強並發揮喇叭對於聲音的彈性。一般來說，在一個較高規格的主動式喇叭本身所提供的操控上，均擁有頻率微調、音量控制、連接的輸入方式（平衡式訊號輸入與非平衡式訊號輸入）三種形式。以監聽喇叭來說，應盡量使用平衡輸入的方式來連接，且保持兩顆喇叭之間線材的左右長度一致，以達成播放時的平衡現象，都是在設置監聽系統非常重要的小細節。在喇叭連接輸入的方式上，若是使用被動式喇叭，還需要特別注意喇叭連接輸入的方式，若不小心誤將正負極的線接反了，可是會造成整個聲音的相位反轉問題產生。

　　輸入方式搞定後，透過校正的方式搭配空間，這時重新校正頻率、調整音量是絕對必要的工作。因此選購屬於自己的監聽喇叭時，請注意喇叭本身是否擁有此類調整功能，對於後續的校正工作才能夠擁有更多的調整性與彈性。

　　一般在進行混音工程的錄音室裡，將喇叭放置在電腦旁或是任何電子儀器旁是不可抗拒的情形，因此喇叭是否擁有防磁功能亦會是避免日後工作上麻煩的重點之一。

▲　Genelec 8050 喇叭後方的不同輸入
　　方式與音量調整、頻率校正

　　Balanced 平衡式訊號與 Unbalanced 非平衡式訊號最主要是以兩者之間訊號線接地與傳送方式來做為區分。

　　Balanced 平衡式訊號線材擁有 Hot 正極、Cold 負極與 Ground 接地等三個接點。平衡式系統的傳輸會在聲音訊號傳送的過程中傳送兩道聲音訊號,在正極傳送一道正常的訊號,在負極傳送一道相位反轉的訊號。當傳送至接收端時,再將反轉的聲音訊號轉換回正常相位的訊號,藉此抵消。

　　平衡系統的最大優點為功率的傳輸較大,因此對於聲音訊號的傳遞相較於非平衡系統的遠且減少衰減,常使用的平衡式訊號線材如 XLR、Phone jack TRS 等。

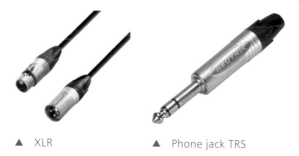

▲　XLR　　　　　　▲　Phone jack TRS

　　Unbalanced 非平衡式的訊號線材的接地是與負極的接點結合,因此只擁有一道正極的訊號與接地。非平衡式系統的傳輸是透過正極的傳送,負極為零,因此在這樣的狀況下,兩條線材的電流量必然產生不平衡的狀況,容易引起不必要的雜訊,且會使得長距離的傳送品質下降。常用於較短距離的傳輸,像是樂器或是阻抗大、不需要擔心雜訊干擾的狀況下使用。而常使用的非平衡式訊號線材如 Phone jack TS、RCA 等。

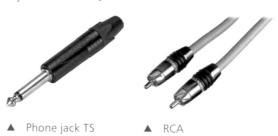

▲　Phone jack TS　　　▲　RCA

在前面所提及的 Crossovers 分頻區塊的設計上，還有另外一款稱為 Active crossover 主動式系統。此類的聲音系統與 Passive crossover 被動式系統不同的地方是當聲音訊號經由 Filters 濾波器過濾完該單體的聲音頻段後，還各自擁有一個功率放大器，能夠處理已經經過濾波的聲音訊號，做為一個補償的功用，而非一開始就需要處理高功率的音訊。

Active crossover 主動式系統的好處在於喇叭的好壞不再僅限於單體本身的好壞，經過獨立的功率放大器還能夠隨時做效果的優化；相對的，對於喇叭的操控性來說，更是多了一個選擇與調整空間。

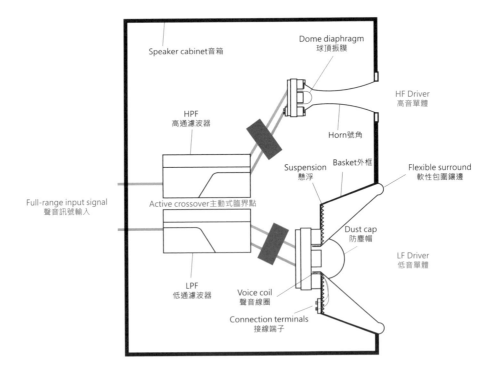

▲ Active crossover 主動式喇叭音箱體結構圖

Active 主動式 vs Passive 被動式

主動式與被動式喇叭是否適合專業錄音室的工作需求，一直都是各方人馬論戰的焦點。Monitor amplifiers 功率放大器（俗稱後級）在監聽系統中的影響程度相當大，甚至能夠輕易影響喇叭本身的客觀性。主動式喇叭自身擁有的功率放大器，能夠獨力透過接電的方式供電；相對地，被動式喇叭內部無此設計，需要額外連接功率放大器才得以供電。

整體上來說，主動式喇叭對於空間性、系統性、方便性都遠勝於被動式喇叭。本身內部單體與功率放大器的距離極短，此點設計可以非常精準的在原廠設計中就使用較好的連接線路，也可以避免被動式喇叭額外與後級匹配性而產生的訊號衰減與干擾等問題，更能夠發揮近似原廠公布的喇叭特性。

再者，主動式喇叭可直接使用標準的訊號連接線材，如 Phone jack TRS、XLR 等，來做為外部訊號的入口，而非一般的被動式喇叭所規定的傳統連接線材，如 Banana plug 香蕉插、Y 型插、RCA 等，因此在連接使用上方便且快速許多。

雖然有一派論調宣稱，在錄音室的監聽系統中，主動式喇叭為首要的選擇之一，但其實這樣的問題真的沒有一個正確答案。若主動式喇叭內建的是較為劣質的功率放大器，並不能夠提升整體表現的水準，反而會拉垮整體表現。另外，普遍較低的售價也成為被動式喇叭的一個極大賣點。幾款知名的被動式喇叭，像是 Yamaha 公司所出產的 NS-10 喇叭，至今仍為全世界各大錄音室所採用。

▲　Amphion Amp 100 stereo monitor amplifiers

Yamaha 公司於 1978 年推出的被動式喇叭 NS-10，至今於各大錄音室仍然可見其蹤影，說它是史上最知名的監聽喇叭之一絕不為過。

▲　Yamaha NS-10

反 NS-10 的論派認為：「以挑選錄音室喇叭來說，需要的是一個近似相同的聲音，這也是主動式喇叭較被動式喇叭占優勢的原因。如果一個品牌喇叭搭配不同後級而產生的聲音是千變萬化的，怎麼能稱為業界標準呢？故不能以所謂的『標準』來定位它。」

挺 NS-10 的論派則認為：「NS-10 的喇叭紙盆設計正是它之所以為業界標準的原因之一！當你在混音時，若聲音在 NS-10 上聽起來是不錯的，那你的作品在一般家用音響也不會太差，再加上價位低廉，入手難度大幅降低，這就是 NS-10 為何成為業界標準的原因。」

然而，以所謂「標準」的定義來衡量監聽喇叭實在太過狹義。影響整個監聽系統的聆聽要素有太多可能，像是不斷提及的聆聽空間大小與隔音裝潢設計、喇叭擺放位置、聆聽位置等，更別提不同廠牌、不同功率的功率放大器推動的被動式喇叭、經過時間的使用所造成的頻率失真、播放音壓大小等原因，都可能造成同款喇叭在同個錄音室，卻發出截然不同的聲音。

因此無論兩方人馬對於這個議題的態度與想法，最重要的還是混音師對於監聽系統環境的瞭解。單就某個角度就要定位喇叭的挑選與優劣實在難以定論，別認為這爭論很愚蠢，這可是很多混音大師在工作之餘的論戰，十分有趣呢！

在被動式喇叭的使用上，有一點是需要特別叮嚀的，就是要注意避免使用功率不足的後級擴大機，瓦數不夠的擴大機容易造成瞬間音量無法被擴大機消化而燒壞單體，就得額外付出不少功課錢。

是否需要 Subwoofer 超重低音喇叭？

　　低音造成的「隆隆感」往往帶給人們振奮感與震撼，更能夠彌補一般喇叭對於低音頻段的缺陷，因而受到喜愛。在空間環境適合的狀況下，適當的搭配 Subwoofer 超重低音喇叭往往能夠補足一般喇叭於 80Hz 以下自動衰減的問題，尤其是 30 至 60Hz 的部分，能夠使整體 Frequency response 頻率響應更加趨於平坦。

　　然而，當監聽空間的 Standing wave 駐波現象已經夠嚴重了，此時再額外加裝 Subwoofer 超重低音喇叭反而可能會讓整體聲音聽起來更加混亂。因此是否需要額外的 Subwoofer 超重低音喇叭仍取決於空間的隔音設計與喇叭的匹配上，一般而言，喇叭廠商會建議是否需要額外補足適當的 Subwoofer 超重低音喇叭。

　　Standing wave 駐波為兩個振幅、波長、週期、頻率和波階完全相同的正弦波反向移動，相遇後互相干涉而成的合成波。

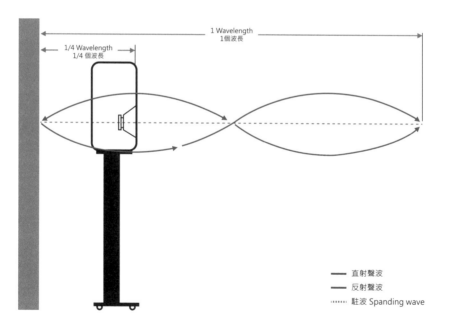

1 Wavelength
1 個波長

1/4 Wavelength
1/4 個波長

—— 直射聲波
—— 反射聲波
‧‧‧‧‧‧ 駐波 Spanding wave

▲ 駐波現象

在 Subwoofer 超重低音喇叭的安裝上最常被誤解，也最常被提出的疑問是：「因為低音沒有方向性，因此 Subwoofer 超重低音喇叭可以隨意擺放」。這是絕對錯誤的！在一般的迷思中，低音頻率沒有方向性的意思為，它並非像中、高音頻率一樣是直接從聆聽位置前方射散，因此擁有非常直接性的方向反應；反觀低音頻率卻是非常容易從四面八方湧現而出。

Subwoofer 超重低音喇叭擺放的位置有很大的學問。輕微的錯誤擺放可能造成空間的堆積而感受到各方向的低音頻率，容易使聲音聽起來混濁且泥濘；嚴重的錯誤擺放有可能會造成由地面的反射聲音所產生的 Phase 相位相抵問題，導致某些低音頻率還會亮過其他頻率，更會導致 Boundary effect 邊界效應所產生的音量加強的聽覺感受，甚至有可能相差一倍之多。

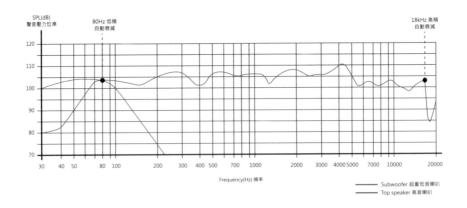

▲ Subwoofer 超重低音喇叭在 80Hz 以下的區段，可以彌補聲學現象中，低音自動衰減的問題

各頻率的聲音於不同的播放音量容易造成聲音訊號的衰減速率不一，透過 Bob Katz 的 K-System 聲音曲線圖可以一窺究竟。當位於 80dB 左右，聲音訊號的整體衰減較為平衡，若是以此為最低的喇叭播放標準，較能夠避免聲音聆聽上頻率的流失。為此，知名的 Dolby Digital 杜比實驗室公司的研究更加精確地指出，當音量開至約 3/4（83dB 左右），更能夠發揮喇叭在全頻段的表現，聲音響應也更為精準。

> Boundary effect 邊界效應意指在現實情況中，聲音因邊界的壓力而改變了物理本質上的傳播與堆積方式。

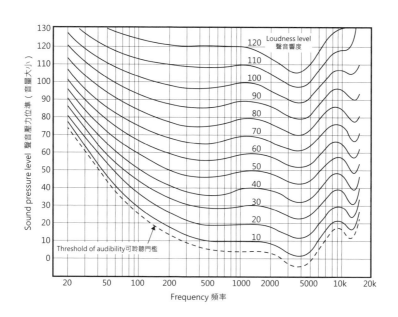

▲ Bob Katz K-System 中 K-14 系統的聲音曲線圖

2.2
Spacelization
空間環境

數位化時代降低進入音樂工作的門檻，個人工作室往往不願意花費鉅額的經費來調整監聽環境，然而，源於基礎聲學反應的聲音缺陷，並沒有有效的解決方式，再昂貴的喇叭也無法發揮效益。即便是同廠牌、同一對喇叭，放置在不同的環境空間所造成的駐波、反射、噪訊比、相位問題等，即會產生完全不同的聲音。聆聽的空間環境，影響了喇叭表現的大多數原因。

Frequency Response 頻率響應

　　耳朵不是萬能，再厲害的耳朵都有疲憊而失誤的時候。在執行精準混音工作時，人類的耳朵無法像機器一樣精準地將各個頻率與振幅大小記錄下來。透過頻譜表的 Frequency response 頻率響應來測量監聽空間是否擁有正確的聆聽環境非常重要。此處的 Frequency response 頻率響應與喇叭的頻率響應皆為聲音於頻率的反應，但兩者之間卻有著些微不同。一個是喇叭出廠時廠商對於喇叭規格的監測，而空間的 Frequency response 頻率響應指的是聲音位於工作空間的頻率監測反應。

　　White noise 白色噪音意指聲音在全頻段中的每一個頻率發出的聲音能量都是相同且均勻的，在建築聲學與喇叭校正的使用上極為常見，在心理學上更能夠給予人類一種藉由剝奪聽覺感官而連帶治療耳鳴、失眠等狀況。

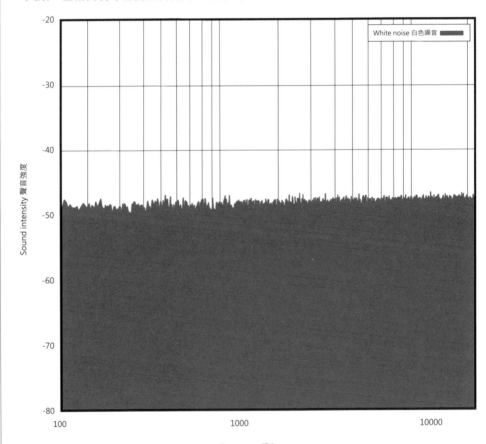

▲　White noise 白色噪音

測量 Frequency response 頻率響應的方式有很多種，依空間而有所不同，最簡易的測量方式，是以喇叭為中心的水平直角向外延伸，分別取近距離、中距離與遠距離（若要更細緻，還能取牆壁、地板等其他位置的殘響反應值），使用 White noise 白色噪音、Pink noise 粉紅噪音或是頻率的波形聲響，甚至於一段最常聽的音樂，然後取其平均值，去瞭解這空間對於這些聲音的改變。

Pink noise 粉紅噪音意指為聲音在以等比例方式存在於中低頻段區塊內，而中高頻率容易產生衰減的狀況，在自然界的物理系統很常發生，如瀑布、雨聲、急川等，它被廣泛地應用在音訊產品的測試或音訊效果設計。

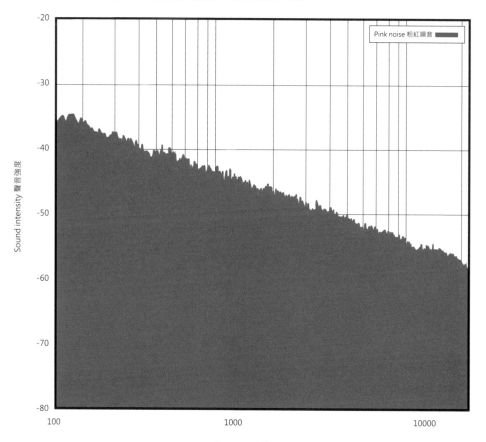

▲ Pink noise 粉紅噪音

Reverberation Time 殘響值

聲音在空間中流動時，碰到物體就會被吸收與反射，反射音在反彈回來的過程中與直達聲混在一起，因此在空間中衍生出無數聲響，此即爲 Echo 回音。在混音工程裡，不正確或多餘的空間殘響除了會造成聲音的渲染，也可能產生相位的問題，對於聲音的聆聽有著極不好的影響。

Reverberation time 意指音源停止後直到聲音消失所需要的時間，雖然會依音源與強烈程度而有不同，但聲波在介質中傳遞能量會逐漸地衰減。而在測量中，從播放出聲音至比原本聲音下降 60dB 後所需要的時間稱爲 RT60，RT60 也因此成爲日後計算殘響時間的一個廣爲人知與賴以使用的計算公式。

在處理聲音的過程中，適時加入 Reverb 殘響可以增加聲音的圓潤度與豐滿度，但當位於未經過校正殘響值的空間內，聲音發出的同時就被空間本身殘留的殘響值直接影響，造成聽覺渲染效應，這樣怎麼可能聽見正確的聲音與調出好聽的聲音呢？

QR Code
影片為鼓手與歌唱者分別示範相同節奏型態之下，聲音如何在不同的空間環境產生迴響效果。

▲ RT60

　　錄音室、歌劇院或其他展演中心，一定都會經過殘響測試。殘響值過高時，聲音的清晰度與真實度就會受到影響，但像音樂廳或是展演中心，反而需要更長的自然殘響時間，以增加聲音的圓滑與豐滿。因此只要是與聲音相關的建築空間，都需要經過縝密的殘響計算與測量。

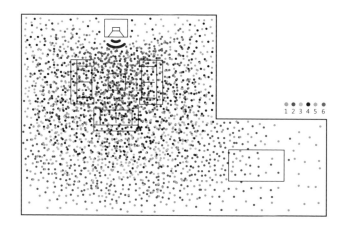

1 2 3 4 5 6

▲　空間中的殘響

　　通常世界知名的展演中心的殘響值會介於 1.6 至 2.3 秒之間，有些經過特別設計的劇院甚至擁有更高數值的殘響反應，但通常在該劇院的聲音模糊度也會相對較高，可以說各有利弊。一般廣播室的殘響值通常介於 0.4 至 0.8 秒之間，音樂錄音室的殘響值大約為 0.3 至 0.5 秒之間，而空曠的教堂裡或是大迴廊測得的殘響值甚至可達 2.5 或 3 秒以上。

　　網路上有許多空間分析軟體，像是 Room EQ Wizard 就非常專業且方便，能夠幫忙瞭解當下空間的聲學反應。

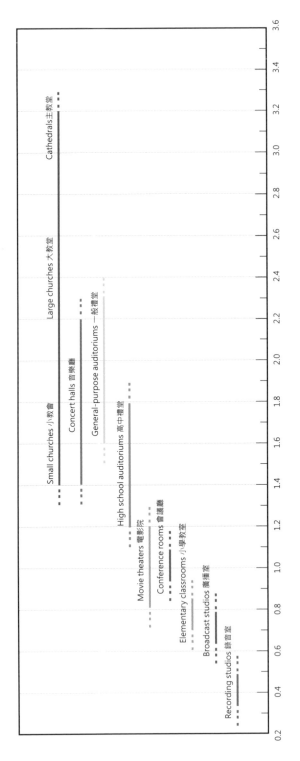

▲ 殘響時間

而測試殘響值最簡單的方式是在測量 Frequency response 頻率響應時順帶測量殘響反應，專業的測試是透過特殊的測量機器，於空間中央、貼近牆壁、貼近地板等測量聲音反射值的位置做測試。若是再興建一間較正規的錄音室且預算充足時，為了有效地減少設計圖與實際興建時的殘響值誤差，邊蓋設與邊測量是最好的建設方式。

在殘響值的測量上較不會以單一頻率下去做測試，通常使用 1kHz 或者是全頻段掃頻，且一般會細分到 120Hz、250Hz、500Hz、1kHz、2kHz、4kHz 六度音，甚至八度音的不同頻段。

雖然殘響值會因為測量的方式與工具不同而有所變化，但以一般專業錄音室來說，只要在 0.3 至 0.5 秒之間都算是合格的殘響反應。錄音室中的錄音間與控制間的隔間設計，要盡量避免錄音間小過控制間的狀況。因為這樣容易使得在錄音階段，控制間聆聽到的回音並非錄音間內的自然回音而導致誤判。

全世界對殘響值沒有統一的標準，但以理想值來說，無論是錄音室或播映室都是為了達到一個目標：「盡量使所有聲音頻率的殘響時間達到一致的或近似的衰減速率」。一些個人音樂工作室會在空間貼滿了吸音板或擴散板，以外型的酷炫為第一考量，這樣不但對於控制殘響沒有太大幫助，反而容易造成聲音的過度吸收與反射相抵，這是需要特別避免的情況。

若以聲音速度 1 秒約為 343m 來計算，1kHz 的四分音符波長約為 86mm，在 100Hz 時大略為 858mm。然而，這個數值會依氣溫與溼度改變。

▼ SSR Manchester Neve Studio

Studio Building and Materials 錄音室裝潢與建材

在錄音室的裝潢設計上，因為空間大小的不同，需要仰賴各式各樣的特殊建材與設計來避免駐波或相關聲音反射問題。在施工時就需要特別計算每一塊材料對於這個空間的聲音所產生的反應影響，若只是購買市售的材料隨意擺設，或是誤用 Diffuser 擴散板效果與 Absorber 吸音板效果，很可能會導致聲音的相位發生怪異的情況，需要特別注意。

隔音與吸音的錄音室器材具有非常多的款式與種類，像是擁有吸音效果的 Tuned panel 吸音箱或 Fiberglass 吸音玻璃纖維（俗稱 Absorber），或是擁有擴散效果的 Amplitude grating 振幅格板和 Phase grating 擴散板（俗稱 Diffuser），這些不外乎是用來調整聲音的反射與吸收，在錄音室的建設工程裡，是不可或缺的。

Tuned panel 吸音箱的造型有許多設計，藉由放置在錄音室的牆面或角落來調整空間反射與吸音。Tuned panel 吸音箱不會造成聲音能量的改變，不會影響空間中的聲音大小，但由於在空間上的使用太占位置，因此要多加衡量。

▲ Tuned panel 吸音箱

Fiberglass 吸音玻璃纖維的最大使用目的在於透過玻璃纖維更高的吸音係數，來造成空間增大的聆聽錯覺。市面上的 Fiberglass 吸音玻璃纖維，有些會標示六個頻段的吸音率，能夠依照不同的空間環境有著不同的調整。但玻璃纖維對於低音的吸收能力遠低於高音的吸收能力，錯誤的使用反而會打壞整個錄音室的空間感。而在安裝上也需要與牆面、牆邊保持些許距離，使用上務必小心。

▲ 705 Owens corning fiberglass

至於在擴散效果的調整上，最常見的為 Amplitude grating 振幅格板和 Phase grating 擴散板兩種。Amplitude grating 振幅格板通常需要搭配吸音材料來使用，優點為能夠放置在極為接近的距離，用來調整聲音大小的落差，達到打亂擴散的效用。

為了還原聲音的真實性，使用 Phase grating 擴散板來處理高頻率的 Scattering 散射效應，更要小心不能夠亂放置。在 Control room 控制間中常見的擺放位置為 Console 混音控台的上方（藉此打亂桌面所反射的聲音）、喇叭直接對應的左右兩側，這些聲音最直接打到的反射區塊。Phase grating 擴散板這些貌似不規則的表面其實都是經過縝密計算的，它們能夠有效整理聲音的情緒表現。可惜在低音頻率的散射有其極限，能夠調整愈低頻率的擴散板，往往有重量與價格上的限制。

低音能量最容易造成聲音堆積在角落或牆邊，為了解決這個問題，在牆角放置 Bass traps 低頻陷阱，能夠有效地幫助低音頻率更為圓滑、平均。在錄音室的建構上，通常會避免整體空間為一個方方正正的方形結構，這也是為何每當進入錄音室，總是能夠看見不規則且充滿特色，讓人印象深刻的牆面。

真正在執行錄音室裝潢時，需要從頭開始建構整個錄音室，但因為此書只是介紹簡單的內部校正工作，在此就不多贅述。

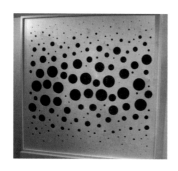

▲　Amplitude grating 振幅格板

▲　Phase grating 擴散板

▲　Bass trap 低頻陷阱

2.3
Monitors Position

監聽系統的擺放

除了監聽喇叭本身的影響之外，喇叭的擺放位置也會造成聽覺上的差異。擺放時要特別注意 SBIR（Speaker boundary interference response）音箱邊界干擾響應，SBIR 為喇叭直出的直達聲，與來自牆壁、天花板、地板駐波之間的相互破壞。花了大把銀子竭力調整空間的環境，怎麼可以敗在基本的器材擺設呢？

▲ 有了對好喇叭，還需要將它擺放置最適合
的位置，才能夠發揮最大的功效

Monitors Placement 喇叭的擺放方式

錯誤的喇叭擺放可能造成低頻率聲音的堆疊與相位相抵的問題，除了會造成混音師的聽覺感官不太舒服之外，也不是正確的製作音樂、處理聲音、聆聽的環境，因此喇叭的擺放可以說是整個監聽系統畫龍點睛的關鍵。

前面已經瞭解一些影響喇叭的原因，像是分頻區塊、單體大小、品牌、主動式與被動式、聽覺渲染度等，但除了喇叭本身的問題，其實還有一個影響喇叭放射出來的聲音品質的因素—喇叭擺放的位置造成聽覺的差異。

關於喇叭的擺放方式與位置，有五大重點是需要好好探討的：Room placement 喇叭的擺放位置與聆聽位置、Triangulating 三角擺設、Tweeter position 單體的位置、Monitors height 喇叭的高度、Tuning 調音校正。

Room Placement 喇叭的擺放位置與聆聽位置

空間中不正常的聲響反射容易造成駐波現象而造成聲音的削減。換句話說，由空間環境的結構造成聲響的反射或堆積，會造成聲音的正確性流失。一般來說，整個房間的正中央是駐波最強的位置，應該避免於該位置聆聽。而愈多直角的空間或是愈空曠的角落，也極為容易造成聲音的共振或是低頻率能量的堆積，在擺放喇叭與聆聽位置的調整時都需要特別避開。

一般來說，喇叭距離聆聽者愈遠，聽到的聲音畫面愈寬；離聆聽者愈近，聽到的相位差就愈大，容易使聲音音場不穩定因素增加。因此喇叭與牆面、聆聽者之間的距離，需要建構在空間的大小之上，而依照圖中的比例來看，以房間的前置比例來延伸，38% 左右的位置為一個最佳聆聽位置。

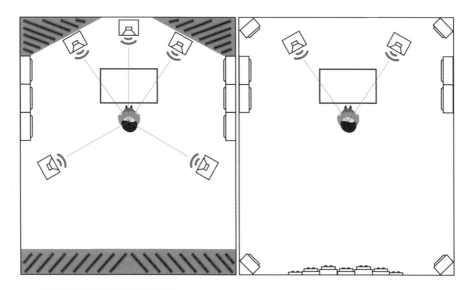

▲ 空間環境與喇叭擺放的關係

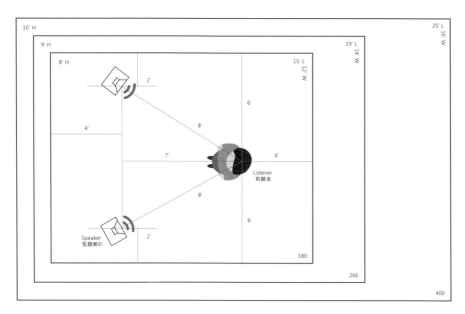

▲ 房間尺寸與擺放位置

如果擺放喇叭的空間並不是設計完善的錄音室呢？

如果真的沒有預算重新製作好的隔音系統，有沒有辦法增強或改善呢？

當音樂工作者的空間是「宅錄」或是非常小型的錄音室，透過些微的不對稱擺放方式，反倒可能有一點幫助。舉例來說，一個土法煉鋼的個人工作室，若是礙於空間與金錢的關係無法有更大的改變，嘗試以土法煉鋼改變現階段擺放，會是較佳地提升方法。像是將左側喇叭放於距離牆壁 55% 的位置，右側喇叭放於距離牆壁 45% 的位置，這樣的不對稱擺放，反而可能在不好的環境中得到一點好聲音。但治本之法還是從空間的設計和整體配置逐步進行，進而減少駐波的情況發生。

再談到 Monitor placement 喇叭位置，如果你離牆壁非常近，低音有可能加倍，如果工作位置剛好在角落，那低音有可能加倍再加倍。因此選擇喇叭的放置位置時切記避開這兩點。

前面提到低音頻率容易隨著反射而從四面八方湧現而出，因此這也是喇叭的後方通常都不會直接貼近牆壁或是放置在空間的角落的最大原因，因為這都容易造成「聲域陷阱」，使得聲音模糊進而誤判。除非錄音室在設計之初就已經特別規劃透過喇叭本身所設置的 Low shall filter 低音塑型均衡器，於某些低音頻段來特別校正與牆面所產生的能量堆積，否則不太可能採用這種配置方式。

Triangulating 三角擺設

喇叭播放出來的聲音不只是直接打到我們的耳朵，還必須考量打到牆邊被吸收與反射的聲音。錯誤的角度甚至容易造成相位相抵的問題，因此兩顆喇叭與聆聽者的距離通常會採用 Triangulating 三角擺設，也就是國外俗稱的喇叭擺放「The magic triangle 魔法三角形」。

3 Ways 三音路的大型喇叭通常也伴隨著更大的發音單體，愈大顆的喇叭，通常與聆聽者之間需要以三角擺設的概念下去增加距離。舉例來說，如果一顆大於 6 吋的單體，理想值是聆聽者與喇叭相距約 90 至 120 公分，12 吋的單體則約為 200 至 240 公分。當擁有多顆喇叭能夠執行 A/B test 交叉比對時，通常會將較小型尺寸的喇叭放在內側，在此也要特別注意每一顆喇叭的單體大小與聆聽者之間的距離差異。

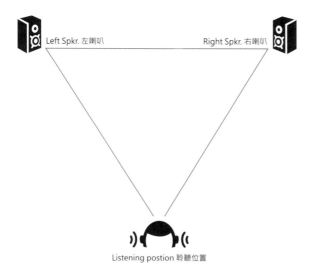

Left Spkr. 左喇叭　　　Right Spkr. 右喇叭

Listening postion 聆聽位置

▲　Triangulating 三角擺設

Tweeter Position 單體的位置

擺放喇叭時，左右側的喇叭需要相對擺放。以圖為例，Figure 1 和 Figure 2 的大單體為低音單體、小單體為高音單體，但無論是哪一種方式，最大的差異在於喇叭是相對擺放的。

通常放置於右手邊的喇叭單體會讓高音單體朝向外側上方，而低音單體會位於中或下方的位置，這樣的設計剛好容易讓低音與 Subwoofer 超重低音喇叭（以下簡稱 Sub）銜接，並且使得具有方向性的高頻率聲音能夠直接指向混音師的耳朵，因此 Figure 1 的放置法是不正常的。

Figure 1

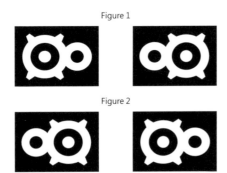

Figure 2

▲　單體需要相對擺放

Monitors Height 喇叭的高度

前面提到讓高頻率聲音直接打到混音師的耳朵，更能夠有效的聆聽，因此通常喇叭高度的設置會與工作者坐下時頭部的高度平行，使得聲音出喇叭後在開始衰減前就能夠被混音師接收。一般來說，在錄音室中會希望聲音的中、高頻率在空間裡的動向是可以被掌控並具有流動性，這也是為什麼吸音板與擴散板不會一味地鋪滿整面牆，而是經過縝密計算後擺放在關鍵的聲音反彈位置。

喇叭位置與高度，可以透過播放同一個聲音素材、以同等音量來進行測試，當進行由左至右的 Automation 自動化控制時，聲音音量必須維持在相同的聲音水平表現。若測試後完全沒有問題，則代表三角擺放與喇叭高度是沒有太大問題的。

某些喇叭的原廠會建議錄音室盡量以直立的方式擺放喇叭，因為若是水平擺放喇叭，只要聆聽者頭部的位置移動就容易影響與喇叭之間的距離，進而產生聽覺渲染。但此爭論一直無法有科學的解釋，個人認為，相較於依據聲學原理的設置與擺放距離，水平與直立的擺放差異並沒有想像中的大。

Tuning 調音校正

當竭盡所能的調整空間環境後，仍舊有許多方式能將喇叭的準確度提升至更高的程度。除了前面提及的 Tuned panel 吸音箱，用以放置在不同的位置來控制聲音於整個房間中的狀況，以下再針對幾項能夠有效減少喇叭播放時所產生的聆聽誤差說明。

如果因為空間與預算的關係，需要將喇叭放置在桌上，切記需要使用吸震喇叭架或是特殊設計的喇叭墊，以有效避免頻率彼此間的共振與衝突。就算是預算拮据的宅錄工作室，也能夠使用空心磚代替喇叭架以達到類似的效果。

• 喇叭放置位置校正

在喇叭的架設上如果有較多的預算，使用獨立式的喇叭架或是嵌入式裝潢設計會是最好的喇叭減振方式，優點在於能夠有效阻止喇叭因為震動傳導出來的共振影響聽覺，缺點就是花費較為昂貴且占據空間。

▼　US flimworks 嵌入式裝潢的設計　　　　　　　　　▲　獨立式的喇叭架

喇叭墊應該選擇密度較低的泡棉材料，例如 Auralex 喇叭墊、空心磚，或是經由特殊設計的喇叭減震支架，都是不錯的選擇。這樣才能夠避免聲音在固體介質中傳遞的速度過快，使身體的感應早於耳朵聽見空氣中的聲音，造成混音師誤判。

要發揮喇叭的全校功能還需要注意喇叭本身的 SPL（Sound pressure level）聲音壓力位準。好一點的監聽系統，除了需要使用 EQ 均衡器來依照空間環境調整校正之外，喇叭本身的後端也有些參數可供校正。當整體播放音壓過低，無法將喇叭開啓至一定的音壓時，喇叭的 Frequency response 頻率響應在低頻與高頻的地方較容易衰減，聲音表現通常會打折，也無法真正發揮喇叭的特色。

▲　Auralex 的喇叭墊

• 空間校正

空間校正應該是在裝潢設計階段就一併思考的問題。一般來說，爲了防止聲音的駐波與殘響影響聽覺，地板、天花板、牆壁都是必須注意到的。等到整體裝潢成型後，再依照校正的方式來重新擺放吸音板與擴散板，這是最省力、省時的方式。

開始執行空間校正調音前，需要先瞭解空間的聲響表現。在此有個小訣竅，可以在空間裡先行播放最常聽的音樂歌曲，因爲本身已經夠瞭解該首歌曲的整體頻率，然後透過移動喇叭的位置與角度改變播放出來的聲音表現，來找出最適合該空間的聲學擺設。

在校正工作上盡量避免在第一時間就做頻率調整，盡量透過喇叭內建或外接的硬體頻率 EQ bypass 均衡器跳過，跳過任何有可能因爲 EQ 均衡器所造成的影響，讓喇叭表現出最原始的聲音。舉例來說，當喇叭表現出過多的低音時，可轉動一下喇叭本身的位置，藉此減少低音的效果。尤其是擁有 Sub 超重低音喇叭的錄音室，更需要花費時間去調整低音頻率的表現。

若連這樣都沒辦法處理掉奇怪的頻率聲音時，進行頻率校正就是非常必要的工作了。市面上有許多公司，像是 Advanced Room Correction（ARC）、Room EQ Wizard、Porous Absorber Calculator、KRK、Dirac 等，均有研發空間校正的計算軟體與工具。一般來說，校正工作通常透過 1kHz、六度音、八度音、Sine weep 全頻段正弦波掃頻的方式來檢測喇叭於該空間造成的 Frequency response 頻率響應（此時可以在地板上貼幾個標記點與拉線，用以記錄測試過的位置點與距離），抑或是使用 Pink noise 粉紅噪音或 White noise 白色噪音搭配頻譜來進行頻率校正，都是不錯且常見的校正方式。

Sine sweep 全頻段正弦波掃頻，即系統由低至高的頻率發出連續的正弦波聲響，通常用在呈現空間駐波的偵測、空間的頻率響應圖檢測，檢測完畢後能夠得到該聲響於空間環境中的 Impulse response 脈衝響應圖。

◀　ARC2 Advanced room correction system

在進行空間頻響校正的時候，一定要挑選一支高品質的電容式麥克風，像是 Earthworks M30 或 Behringer Ecm8000 都是特別為校正工作所研發，夠精準且反應快速的測量麥克風。

選擇頻率聲響後，搭配移動測量麥克風，在空間的牆壁、地板等不同位置來測試聲音的衰減值、初期反射音等殘響值。再調整喇叭角度距離、額外增加擴散板、調整多頻段 31 band 的 EQ 均衡器或是吸音板等來達到空間校正，盡量將調整 EQ 均衡器留至非不得已的手段，因為校正時基本上都會以不影響整體音質表現為第一要求。

▲ Earthworks M30

▲ Behringer Ecm8000

　　以 D.A.P. Studio 錄音工作室殘響圖爲例，透過 Sine sweep
全頻段正弦波掃頻得到的結果，可以看到聲音頻段於 100Hz 至
10kHz 之間沒有太大的聲音衰減（正負 10dB 內），亦即無論
裝潢或是空間擺設並不太會影響到這個頻段間的聲音表現。而
10Hz 至 100Hz 與 10kHz 的低頻率與高頻率本來就會因能量遞減
而自然衰減，因此這個空間還算是可以得到標準聲音的場地。

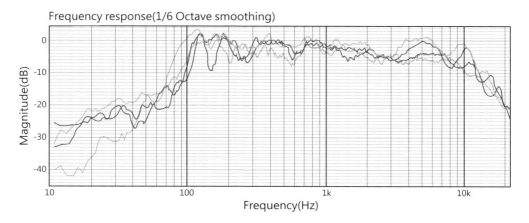

▲　D.A.P Studio 的 Impulse response 脈衝響應圖

2.4

Headphone vs Monitors

耳機與喇叭

很多人問：能夠使用監聽耳機做混音嗎？老實說，這是一道陷阱題，它沒有絕對的答案。那到底使用監聽耳機跟使用喇叭做混音有什麼差異呢？如果一定要回答，請盡量別用監聽耳機做混音，真正以音樂為工作的音樂工作者，幾乎沒有人是戴著監聽耳機從頭到尾完成整首曲子的混音。

▲ Sony CD900st

　　請別誤會，你絕對可以使用監聽耳機來交叉比對檢查混音，這絕對是檢查混音的必備過程，也是很好的方式，但請好好依照耳朵使用的時數來進行這項作業。關於這個話題，臺灣搖滾天團五月天的 Bass 手瑪莎曾經提及一件事，因為他們樂團的錄音與巡迴的工作需求，常需要旅居世界各國，接觸非常多不一樣的空間與錄音師，但是同個喇叭在不同的空間卻有著截然不同的聲音表現，此現象也屢見不鮮。這時候使用最熟悉的耳機進行聲音調整作業就很重要了，因為無論身處何處，習慣的監聽耳機是不會改變的，也是最安穩的校正與聆聽方式。

使用監聽耳機與喇叭混音，最大的不同在於兩者聆聽到的聲音是完全不一樣的。在使用喇叭的狀況下，右耳聽到的聲音，是右側喇叭放射出來的聲音與打擊到牆面的反射聲音，並加上左側喇叭距離較遠的直達聲和打擊到牆面反射的聲音，以及兩顆喇叭於其所製造出來的聲音殘響的蔓延聲響。一樣的狀況同時發生在左耳的聲音聆聽中，因此使用喇叭的監聽環境下，空間影響聲音的可能性極大。

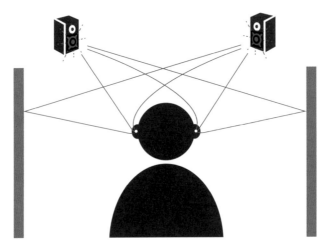

▲　聆聽喇叭時聲音的影響

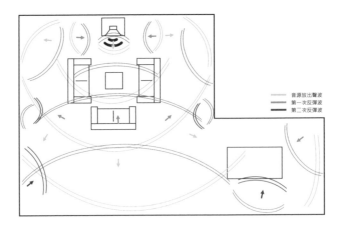

▲　房間中的聲音反射狀況

使用監聽耳機的狀況下，右耳聆聽的音場完全是由監聽耳機送給右邊耳朵的聲音，直接省略了聲音在聲學原理中反射的聲音與其他物理現象。一般而言，監聽喇叭較監聽耳機更能夠顯示聲音聆聽上的細節與變化。在真實空間裡，聲音從喇叭音場播放出來的瞬間，無論喇叭離混音師多遠，聲音輸出的瞬間就已經開始衰減與變異，但這樣的情況並不會發生在耳機混音聆聽裡。使用耳機聆聽就等於直接對耳朵進行轟炸。因此配戴耳機比聆聽喇叭更容易感到疲憊，進而導致聽覺混亂。

再回到主題，可以使用監聽耳機來混音嗎？

答案是肯定的，混音師絕對可以使用監聽耳機來檢查整個專案的聲音訊號。但是使用監聽耳機進行混音工作，面對聲音的聆聽變化與敏感度，完全不同於使用喇叭的混音。使用耳機監測聲音訊號的表情與工作時，除了需要先熟悉耳機的屬性之外，盡量不要使用耳機來執行整個混音工作，保護耳朵絕對是混音師該有的觀念。

大略瞭解使用監聽耳機與喇叭的利與弊後，還是要特別說明，使用監聽耳機工作並不代表不好，或做出來的作品不能夠端上檯面。對於混音工程而言，監聽耳機還是有著非常重要的地位，像是在配唱錄音階段，幫忙歌手聆聽到較無聽覺渲染的聲音，以免影響到歌唱的表現。

▲　聆聽耳機時對於聲音的反應

▲　Alessandro Music Pro

當真的需要使用監聽耳機來進行工作時，無論是配唱或是檢查聲音，有沒有什麼方法能夠加強與還原監聽耳機的聲音表現呢？

Focusrite 公司推出的 Redline Monitor 效果器正是為此情況設計的 Plug-in。它有點像是 Line 6 公司知名的音箱模擬功能，Redline Monitor 效果器提供選擇模擬的喇叭種類，並設定聆聽者與喇叭之間的距離、中心點、整體效果。它號稱在不改變原始聲音品質的同時，透過耳機模擬喇叭播放出來的一般聲音情境，在其聲學原理與物理反應中，聲音於空間竄動的模樣。

一直以來都有廠商在研發類似的產品，像是 Focusrite 生產的 VRM Box，也是提升監聽耳機聆聽不錯的 DAC 選擇。VRM Box 透過連接能夠自動對應該 Interface 的 Clock 時脈，能夠減少延遲造成的聆聽錯亂問題，它可以模擬 10 組經典款喇叭的播放音場，不但增加在聆聽與監測的選擇，又可提升監聽耳機監測的真實度。

▲ Focusrite Redline Monitor

▲ Focusrite VRM Box

　　2016 年 美 國 National Association of Music Merchants（NAMM）音樂商人協會展覽中，知名效果器公司 Waves 釋出一款以攝影機即時攝影，搭配即時擬真運算模擬出虛擬音場，不僅於此，此款效果器甚至還考量了混音師在聆聽喇叭時左右晃動頭部而導致聆聽上的差異，效果非常有趣，成效也相當驚人。

　　如今隨著數位音樂的普及，除了簡略介紹的幾項產品之外，各家大廠爭相研發如何減少耳機與喇叭監聽的差距，更降低了數位音樂的門檻。透過音樂科技的進步，目標就是嘗試模擬耳機與喇叭音場上的聆聽與差距，讓耳機經過效果器的計算能夠擁有最自然、猶如現場空間環境的反射值與殘響值，甚至模擬人在空間音場裡因為角度或位置造成的聆聽差異。即便長時間配戴耳機容易造成聽力受損，但這仍是一個趨勢。看來在價錢驅使與數位進步之下，此爭議性的問題，短期內依舊無法出現解答，未來仍舊是一條長遠的路。

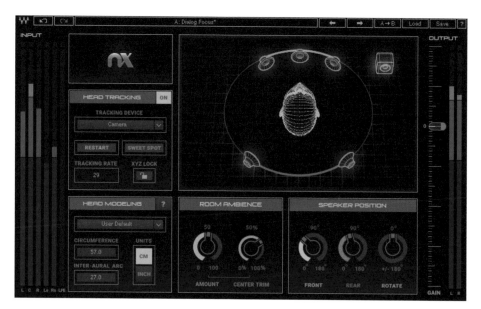

▲　Waves Nx

Part 2

進入混音

學習混音工程，就像是建築房屋。

起始是關鍵，

需要紮實且強力的結構當成基底，

沒了這部分，一切都是空談。

3

Balance

平衡

一場華麗的舞台表演，舞群與明星的登場方式皆為了突顯歌手與歌曲的特色，每個動作位置都得精心設計，避免喧賓奪主。聲音平衡的處理與舞台表演類似，混音師必須透過聲音的方向，決定聽覺上每個聲音的相對位置，當面對不下上百軌的曲子，必須思考聆聽每一軌樂器聲音各自扮演的角色以及整體感，並掌握聲音的獨特性，留意聲音頻率是否衝突。因此，混音工程的一大重點就是搞定聲音該扮演的角色，才能有效傳遞歌曲的原創精神。

3.1
Audio Metering
音量儀表

Spike Stent 說過："Remember that every section of the song has its own atmosphere and function. You can track much more attention-grabbing if you subtly change the EQ and effects for different sections of the song, especially on the vocals."

「請記得，一首歌裡的每一個部分都有它自己的氛圍與存在的必要，因此在混音工作中試著讓某個單軌軌道更加引人注目，稍微調整一點點 EQ 或加一點點效果，往往能夠帶來截然不同的感受，這招在主唱上尤其明顯。」

Spike Stent 為知名的美國葛萊美獎製作人、混音師，在英國出生的他 16 歲就進入了聲音工程的領域，全球眾多知名藝人如 Madonna、Lily Allen、Goldfrapp、Maroon 5、Muse、U2、Oasis、Lady Gaga、Beyonce 等都爭先恐後的與他合作，Spike Stent 的作品在全球皆擁有極高的知名度。

▲ 跳動的音塊

　　料理時，廚師會巧妙地運用廚房裡的鍋碗瓢盆、刀叉與各色醬料來完成料理的程序。對於混音工作而言，本書每個章節談論的內容，即是混音師對於聲音使用的「廚具」與「醬料」。然而，在整個作業流程當中有幾個又臭又長且極為複雜的工具，但之於整個混音工程卻是無比重要，它們稱為 Audio metering 音量儀表。

　　在一般人類的生理反應下，聲音只能透過聽覺系統被聆聽到，然而，當聲音波形轉變成為振幅，能夠清晰地以各式各樣的圖示方式顯示出振幅的動態範圍，藉此輔助瞭解聲音訊號的大小，除了記錄，也成為混音師與其他聲音工作者之間的溝通橋樑，這

正是音量儀表的目標，使用眼睛來輔助混音工作。即便混音師的耳朵通常對於頻率與音訊大小具備異於常人的聽覺感知，但透過精準的儀表來輔助混音工作，仍是不可或缺的。

　　音量儀表能夠彌補一些人類先天無法克服的困難，像是長時間工作導致的聽覺疲乏，或是更精準地提供混音過程中，聲音能量於整個圖形化介面當中的分布圖，用以監測聲音訊號的動態範圍與輸出時的相關數值大小等。在音量儀表中，主要有兩種不同的形式最被廣泛使用，而最大的區別為兩者針對聲音的情況反應的顯示模式，這兩種形式為 Volume unit meter（VU Meter） 和 Peak programme meter（PPM）。

Volume Unit Meter
（VU Meter）

在一些舊式大型機台或是額外的硬體效果器上常看見 Volume unit meter 的蹤影，它是混音作業中一定會使用到的純類比機械式儀表，VU Meter 作用的原理為電壓透過磁鐵與線圈使得指針產生晃動，而顯示出電壓的大小。若是以 1kHz Tone 的頻率做為基準來測試 VU Meter 的結果，指針的反應會有偏差值約 300 毫秒的緩衝時間，相較其他音量儀表動作來得慢一些。

VU Meter 顯示的方式為訊號的 Root mean square（RMS）平均方根，也就是

▲ VU Meter

聲音訊號的平均值，此處的平均值也能意指為人類耳朵對於整體音壓感受的平均數值，而並非單一最大值。一般而言，在 RMS 模式下監測的聲音訊號音量較為舒服、耐聽，聲音聽起來較為舒坦且平均，但也正因為如此，觀測 RMS 的過程中容易忽略音量的準確度與音壓變化。

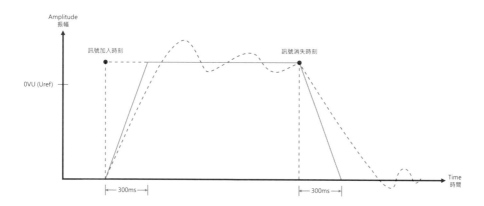

▲ VU Meter 的反應時間

大部分 VU Meter 的中心為 -3VU，顯示的刻度範圍為 -20VU 至 +3VU。仔細查看的話，能夠發現在 -20VU 至 0VU 為黑色刻線，0VU 至 +3VU 為紅色刻線。在單位的轉換上，VU Meter 的 0VU 經過計算可以約略轉換為類比系統中的 +4dBu，而經過縝密設計後的 VU Meter 所產生的 Clipping 破音都在 +24dBu 左右。再加上因為 VU Meter 的反應時間較慢，因此在實際觀測 VU Meter 的時候，會有約 20dB 的 Headroom 動態空間是指針來不及捕捉與顯示的。這也是在 VU Meter 的使用上，常會俗稱容許範圍較大的主因。

RMS Value 平均方根值顯示的音量訊號大多較 Peak value 峰值小約 8dB 至 20dB，但在某些較複雜的聲音堆疊或 Sustain 延音情況下，VU Meter 又可能會顯示出近乎 PPM 的讀數，因此大大提升了 VU Meter 觀測的難度，在使用上特別需要依賴經驗與即時聽覺的聆聽來做判斷。

Sustain 延音意指為當聲音訊號在初步衰減過後，能量趨近於穩定狀況，此時聲音本體維持的時間長度。

Clipping 破音意指當聲音波形被過於放大時所產生的波形失真狀態。

▲ Clipping 破音

在人類生理學上，人耳對於聲音的反應與 RMS 聲音的平均音量情況相近，因此辨識 VU Meter 有著一定的難度，除了需要精準掌握機器特性，還有對於不同的聲音訊號與不同的音樂曲風所造成的差異性來加以判斷等原因。VU Meter 還是廣受混音師的喜愛，在混音工程的工作中將這種音量儀表視為不可或缺的參考指標之一。

Peak Programme Meter（PPM）

Peak programme meter 與 VU Meter 同樣是憑藉指針來顯示音訊音壓大小的裝置。PPM 的特色就是直截了當地顯示出 Peak value 峰值，其作用原理為使用電路板來讀取聲音訊號的位準，因此它的反應時間極短。若是以 1kHz Tone 的頻率做為基準測試，它的指針瞬間反應速度偏差值約為 10 毫秒，相較於 VU Meter 的反應速度，更能夠直接地顯示當下指針對於聲音訊號的反應。

PPM 最主要的功能是透過它對於聲音非常直接且嚴厲的特性，用以指示出聲音訊號的 Peak value 峰值大小，並監測音訊的實際狀況。但是探討起聽覺系統與儀表的反應系統，訊號的峰值其實並不能直接反應出對於人耳的聽覺強弱感，因此 PPM 的指示值，並不能夠直接連結表示出訊號的響度。

PPM 源自於英國，英國的寫法為 Peak programme meter，美國則為 Peak program meter，本書採用英國的寫法來介紹。

PPM 的刻度顯示由黑底搭配 7 個白色對點標示，正中間為 PPM 4 標記點。白點與白點之間平均分配 4dB 的音量差距，但在某些較老舊的 PPM 機器上刻度的差距為 6dB，因此以 PPM 作為一個音量儀表的觀測工具時，切記先確認 PPM 的顯示格式以免誤判。

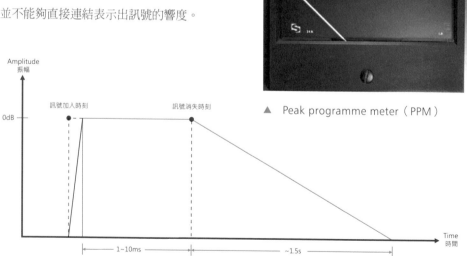

▲ Peak programme meter（PPM）

▲ PPM 的反應時間

VU Meter 與 PPM 的搭配

在 Sine wave 正弦波中，Peak value 峰值和 RMS value 平均方根值的差異約略爲 3dB，在更複雜的聲音訊號處理狀況下，差異甚至可能達到 12dB 之多。對於瞬間音壓的反應上，PPM 的反應遠比 VU Meter 來得快，能夠更直接地反應出當下每一個聲音的表現，甚至可以達到 30 倍之多。因此當需要監測數位系統的 0dBFS 或是音訊的過載，又或是極爲敏感的區塊等，PPM 通常有不錯的表現。

然而，無論是 VU Meter 或 PPM，並沒有法規或規範說明需要判讀哪一個音量儀表的強烈要求與規定，混音師在

不同的狀況下皆有他們的習慣與觀測方式。對於兩種儀表的判讀，應該要使它們成爲與耳朵聆聽相輔相成的工具，不該過度依賴，也不該忽略不論。

瞭解 VU Meter 和 PPM 兩者的差異性與搭配使用非常重要，學會在不同階段或者不同狀態觀測適合的音量儀表，能夠更有效率的幫助工作進行。舉例來說，當在進行 Compression 壓縮動作的時候，若想要聲音的音量變化較小，VU Meter 就能夠幫助混音師瞭解聲音訊號經過壓縮機器的平均壓縮音量，而不是觀看 PPM 的瞬間音量，這種情況之下，使用 VU Meter 就會較 PPM 方便。

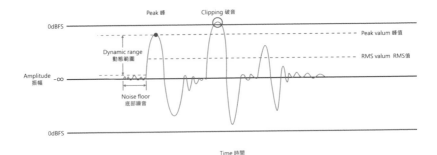

▲ Peak value 峰值和 RMS value 平均方根值

Pack value 峰值與 RMS value 平均方根值當中，其最大值 Peak value 峰值除以 RMS value 平均方根值所得到的數值稱為 Crest factor 峰值因數。當 Crest factor 峰值因數的數值愈高，代表整體所承載的非線性負載能力愈多，換句話說，當數值差異愈大，此儀表的雜訊就愈多，整體的損耗造成器材消耗的速度愈快，誤差也容易提高。

Digital Metering
數位式音量儀表

當清晰且擁有不同顏色的數位 LED 音量儀表問世後，音量儀表的顯示方式就更多元、更方便了。無論 VU Meter 或是 PPM 規格的音量儀表皆推出了數位化的顯示模式，甚至能夠隨著工作需求而切換，對於混音工作來說是一個更為方便的突破與進步。它們除了擁有多種識別訊號的方式之外，還多了像是全數位化的數字顯示、Clipping 破音紅燈警示、Average level 平均音壓等的表現方式，非常方便。

▲ SSB Audio PPM/VU Meter

▲ 各式 DAW 往往可供使用者自行挑選不同的 Digital meter

Phase Correlation
相位儀表

在進行 Stereo mixing 立體聲混音時，除了音量監測，更重要的是注意左右音訊彼此之間的影響，是否造成 Phase 相位產生的相抵情況，藉此來避免聲音因為相削而造成的空洞與改變。在一些大型類比的 Mixer 控台上可以看到它的蹤影，用來指示聲音在左右聲道的 Phase 相位兼容性與狀態。

而專門用來檢測 Phase 相位的儀表稱為 Phase correlation（或 Phase meter、Correlation meter）相位儀表。一般來說，剛入門學習混音的新手應該要訓練耳朵去聆聽聲音削減的相位問題，然而，錯誤的混音空間成為訓練過程中極大的絆腳石，這也是今日最流行的「宅錄」、「宅 Mix（或稱宅咪）」最容易產生出來的問題之一——聽不見聲音的 Phase 相位。

不同廠牌的相位儀表有不同的縱軸、橫軸或顯示設計，不變的是顯示刻度皆為 -1 至 +1。當訊號顯示為 +1，表示在整個混音當中左右聲道是完全相同的狀況，並稱為 In phase 正相；0 則代表左右聲道之間存在著不同但卻不衝突的聲音訊號；-1 則代表左右聲道正好完全相反，也就是產生了相位相抵的問題，稱為 Out of phase 反相。

在相位儀表的使用上其實沒有標準數值與絕對正確的參考方式，一般來說，只要盡量避免訊號超越 0 移動至負區塊的位置，發生了相位相抵的狀況，就是整體混音在聆聽上可接受的範圍。而當聲音訊號在負區塊移動時，訊號的堆疊會開始造成彼此的削減，容易使聲音聽起來較為乾扁與空洞。

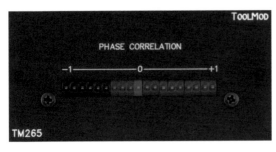

▲ Phase correlation 相位儀表

▲ Ozone 6 的 Phase correlation（右側）

混音工作中的幾種狀況或混音技巧是影響聲音相位的關鍵，像使用 Stereo maker 立體聲效果器、Doubling 堆疊、相近的頻率打架、軌道數繁多等，當面臨到這類有關左右聲道的處理時，都需要特別注意是否會產生相位上的問題。

在相位儀表的使用上，應該避免過度依賴相位儀表，訓練耳朵聆聽反而比查看儀表更為重要，讓耳朵習慣正確相位的聲音表現，更可以避免一些奇怪的狀況在混音工作中產生。

Spectrum Analyzer
頻譜

攝影師於影像後製工作時，通常會透過測光表與色階分布圖來瞭解圖像的亮部與暗部表現，才能夠適時補償進光量與調整色差。一樣的，混音師在進行混音工作時，透過頻譜能夠一目了然地瞭解聲音在各個頻率與象限的表現，因此，閱讀頻譜對於混音師而言是一項非常好用且一定要學會的工具。

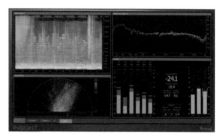

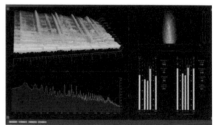

▲　iZotope Insight

一般而言，頻譜最直接顯示的資訊爲音壓與頻率，透過音訊播放時產生的線條可以清楚地瞭解聲音於不同頻率上的狀況。而不同的聲音頻譜，還可以看出非常多資訊，包括聲音的 Frequency band 頻段、Harmonic 泛音、

Sound pressure level 聲音壓力位準、Width 寬度、Pan 定位，又或是俗稱的 ADSR － Attack 啓動值、Decay 衰減值、Sustain 延續值、Release 釋放值等資訊，都可以在頻譜與音量儀表上一窺究竟。

▲ Blue Cats 的各式頻譜與音量儀表

　　光譜與聲譜的頻譜表皆是透過相同的原理傳導，因此，在談及頻譜時很容易將光譜與聲譜相連結，它們都能夠分辨出特定物件的外型、大小與顏色等資訊，皆是進行影像與混音工作時不可或缺的工具。

　　光在穿過某些介質與材質之間時，自然而然會造成色差與視差，甚至會有消退的現象，也就是生成我們熟知的紅外線或紫外線等，在某些波長裡，甚至有可見光與不可見光之差異。而這情況也會在聲波發生，人耳可聽見的頻率範圍內的聲波，也會因為不一樣的介質與材質而抵銷或變化；因此，聲波與光波在某個層面上來說極為類似，在這樣的基礎下，可以推算出很多有趣點子與極具爭議的結果。

　　一般光譜顯示的頻率範圍約為 430THz 至 790THz，換算成人類可見的比例約為 1:2；人類的聽覺範圍為 20Hz 至 20kHz，相較之下，人耳對於聲音的感應遠大於視覺反應，這也間接舉證了人類對於聲音的敏感大過視覺感知，這可是非常有趣且令人震驚的事呢！

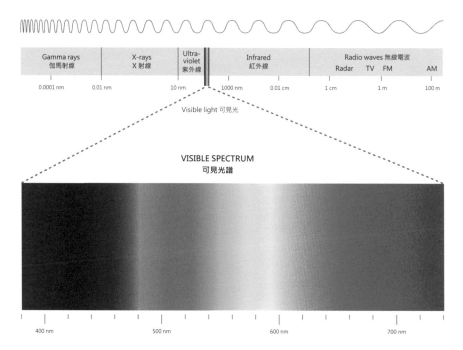

▲　Visible spectrum 光譜

3.2
Sound
Pressure
Level

聲音壓力位準

就像在日常生活中我們習以為常的眾多單位—長度的公分、公尺；重量的公斤、公噸；容量的公撮、公升；面積的公畝、公頃等，用來衡量聲音強度環境音量的單位稱為 dB 分貝，它是透過電信功率訊號的增益與衰減的狀況，來衡量聲音強度的單位。

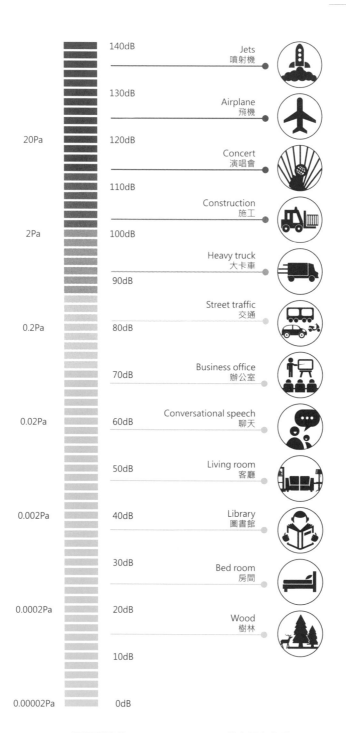

	140dB	Jets 噴射機
	130dB	Airplane 飛機
20Pa	120dB	Concert 演唱會
	110dB	Construction 施工
2Pa	100dB	Heavy truck 大卡車
	90dB	Street traffic 交通
0.2Pa	80dB	Business office 辦公室
	70dB	Conversational speech 聊天
0.02Pa	60dB	Living room 客廳
	50dB	Library 圖書館
0.002Pa	40dB	Bed room 房間
	30dB	Wood 樹林
0.0002Pa	20dB	
	10dB	
0.00002Pa	0dB	

▲ 不同環境的 Sound pressure level 聲音壓力位準

　　由於不同國家音響聯盟的刻度儀表與不同的媒體產業，像是音樂、廣播、電視、電影等，都有貌似相同卻截然不同的聲音刻度顯示規格，再加上早期類比系統與現今數位系統之間的刻度差異，使得音量的標準極為模糊。在進入混音工作前，學習觀看音量儀表有兩件事情需要先行瞭解：**確認觀看的聲音刻度系統、所有音量儀表都有一定的動態範圍。**

　　前者的意思為，確認了聲音刻度系統才能夠避免因為不同Meter 儀表造成對於聲音訊號認知差異的情況產生。而後者是指，即便是相同的儀表，仍舊會因為廠牌、款式、不同情況而產生些許誤差。

計算 dB 數值的過程中，於不同電壓計算公式或不同領域的使用還能夠延伸出各式各樣的單位，像是 dBV、dBm、dBW、dBr、dBFS、dBA、dBB、dBC 等。

Chapter 2 提及的 Bob Katz，其研發的 K-Stereo 與 K-Surround（在此統稱 K-System）是世界知名的音量電壓測量技術，常被用來當作各個聲音領域的音量測量基準。

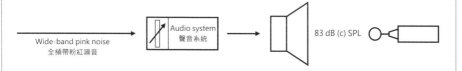

Wide-band pink noise
全頻帶粉紅噪音

Audio system
聲音系統

83 dB (c) SPL

▲ 分別以 -20dBFS、-14dBFS、-12dBFS 的 Pink noise 粉紅噪音為基底，持專業音壓表於喇叭外測得的 83dB 做為基準，可量測出不同的基準值 K-System

以數位系統為主要工作系統的今天，在三種不同基準對應規格下產生了三種不一樣的測量數值模式：電台廣播領域的 K-12、流行音樂領域的 K-14 與電影工業領域的 K-20。三者各別代表以基底與 Headroom 動態空間的動態差異值，當數值愈大，則整個動態容許範圍愈廣。

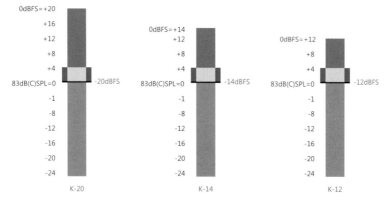

▲ K-System

在數位音樂的領域中，與音樂工作者最相關的聲音單位為類比系統的 dBu 與數位系統的 dBFS。實際上，類比系統的 dBu 與現今幾乎所有數位系統都具備的 dBFS 指示單位，都會因為反應速率、公式計算等原因造成兩者的讀數轉換略有不同。

根據 European Broadcasting Union（EBU）歐洲廣播聯盟於 2000 年發表的 R68 技術規範中制訂，dBu 與 EBU Digital 24bit 之間的換算為 0dBu = -18dBFS。然而，Society of Motion Picture and Television Engineers（SMPTE）美國電影與電視工程師協會於 RP155 規範上卻有不一樣的標準，該規範指出 dBu 與 SMPTE digital 24bit 的換算為 +4dBu = -20dBFS。相較之下，兩者對於 Headroom 動態空間的差異有 6dB 之多，這正是前述「確認在觀看的聲音刻度系統」之重要性。

European Broadcasting Union（EBU）歐洲廣播聯盟為 1950 年成立的歐洲與北非廣播電台、電視台的聯盟組織，主要任務為廣播系統的研究發展與組織成員之間的協議與聯繫。

Society of Motion Picture and Television Engineers（SMPTE）美國電影與電視工程師協會於 1916 年成立，制定了許多電影、電視產業的標準與規章。

至 2016 年的今天，世界各國的各廣播與聲音聯盟尚未共同發表出對於音量標準的正式用法，原因在於聲音產業的領域實在是太廣泛了，不僅涵蓋了唱片、廣播公司、電視、電影等相關產業，以及不同國家與各個不同工作系統仍舊擁有自己的聲音刻度標準。但針對聲音刻度的標準換算，仍舊可從各國各行的傳統工作模式習慣上得取一些換算的關聯單位：

- US Broadcast 美國傳統廣播：+8dBu
- US Music, Film and modern broadcast 美國音樂、電影和現代廣播：+4dBu
- UK Broadcast 英國廣播：0dBu
- German Broadcast 德國廣播：-3dBu

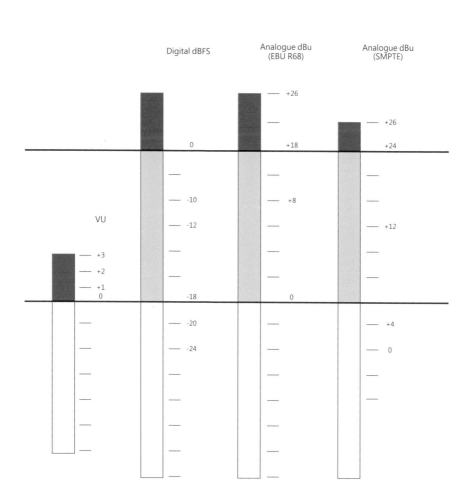

▲ 類比系統與數位系統之音量儀表對照圖

3.3
Sound Image
聲音圖像

　　前面我們已經談過耳機與喇叭對於聲音的聆聽有著截然不同的感受。由此可知，人類的左耳與右耳能夠感受到不同聲音的強度差、時間差、頻率差，而透過兩耳接收到的聲音差異，再傳回大腦進行聽覺感官定位，即會在腦中呈現聲音發出的方向。人類透過聽覺對於方位建立出的圖像，稱為 Sound image 聲音圖像。

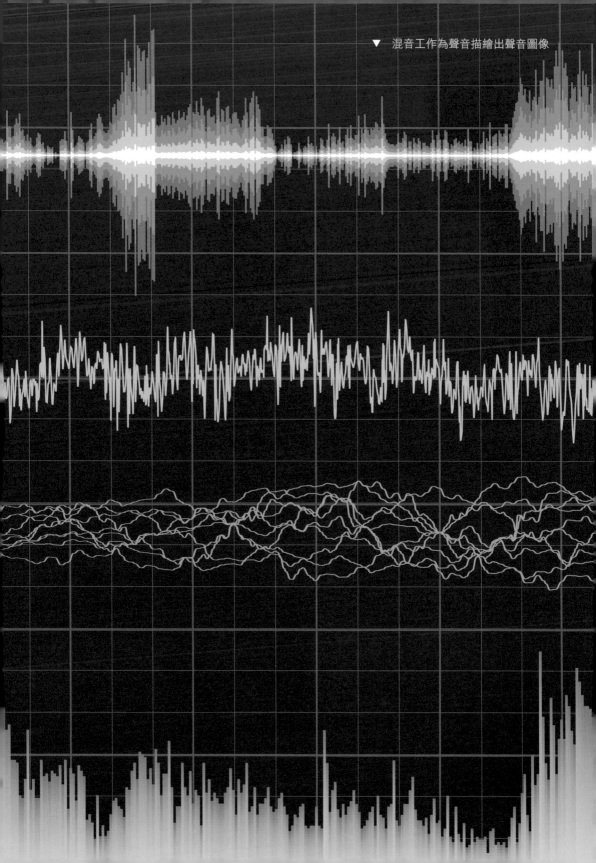

▼ 混音工作為聲音描繪出聲音圖像

在混音工程上將聲音描繪出圖像有非常多種方式，像是將單聲道訊號透過 Pan control 定位控制旋鈕來調整音訊的聲音定位、透過 Fader 推桿來調整 Level setting 音量設定、又或者透過各式各樣的效果器來做 Effects 效果處理，這些都是將聲音訊號嘗試建立完整 Sound image 聲音圖像的方式。

混音師的工作時間裡，有很大一部分在努力防範聲音「黏」在一起，注意聲音頻率是否打架，聆聽的同時能夠辨識所有聲音的定位，聲音與聲音之間擁有明顯的主副之分，但整體搭配卻又必須非常恰當。也常常會碰到音量、相位、聲音 Balance 平衡的問題，這時候能夠精準掌握聲音圖像，在混音工程中也是一大要點。

Stereo sound image 立體聲的聲音圖像可以往回推至 1881 年法國巴黎歌劇院研發的雙聲道聲音音訊系統，這是為了劇院表演而設計的全世界第一個雙聲道聲音系統。然而，隨著科技的進步，英國 Electric and Musical Industries（EMI）公司於 1931 年為了打破當時電影聲音左右方向不清的單聲道音訊，申請了一款名為「Binaural Sound」的專利，這正是現今在全球主流音樂市場中大家熟知的 Stereo 立體聲音訊的起源。

Level Setting 音量控制

Level setting 音量控制為控制聲音於作品中的訊號大小與音量大小。調整聲音大小的方式有許多形式，像是使用 Gain 增益來改變訊號本身的大小，又或是透過 Fader 推桿來改變聆聽監聽訊號的大小等。瞭解不同階段中不同使用需求的差異非常重要，然而，在混音控台上透過 Fader 推桿調整電阻來改變聲音訊號的大小就是最直覺的操作方式。

Gain 增益

Gain 增益與 Fader 推桿影響的是聲音響度，然而，Gain 增益主要是控管 Input 與 Output 時的聲音素材響度大小，因此有 Input gain 輸入增益與 Output gain 輸出增益之分，而在混音工程中的 Input gain 輸入增益指的是第一道控管聲音訊號的控制器。

▲ Neve 1073 preamp gain

Sliding Potentiometer
滑動電位計推桿

一般常見類比式的 Sliding potentiometer 滑動電位計推桿是透過調整電阻來減低電壓，藉此達成操控聲音訊號的衰減。輕推推桿 Fader 的同時，軌道上的接觸器也會隨著變化，依照不同位置點的不同電阻來對聲音訊號做相對應的減弱程度。

一般 Sliding potentiometer 滑動電位計推桿有個缺點，就是只能針對聲音訊號來進行衰減，無法提升。因此有些廠商為了幫 Fader 推桿增加提升的效用，在電位計的後方置入了一個 Power amplifier 功率放大器，藉此讓 Fader 推桿的推升能夠展現出提升的效果。

一般 Sliding potentiometer 滑動電位計的 Fader 推桿價位並不高，可於大部分的平價混音控台上發現它的蹤影。

▲　Sliding potentiometer
　　滑動電位計推桿

Voltage Controlled Amplifier Fader
電壓控制放大器推桿

Voltage controlled amplifier Fader（VCA Fader）電壓控制放大器推桿是由電壓控制放大器和一個音量控制器結合的產物，用來控制音訊的電壓大小。但有趣的是，在 VCA Fader 電壓控制放大器推桿本身並沒有聲音訊號的通過，它只是負責控制額外配送到喇叭的電壓大小。

VCA Fader 電壓控制放大器推桿的優點就是能夠統一集中所有的直流電電壓，因此可以縮短訊號通道的大小，進而得到更高品質且低底噪的聲音。在許多做工極為細緻且昂貴的混音控台上，幾乎所有的聲音軌道都是單獨設計的 VCA Fader 電壓控制放大器推桿，這也造就了為何大型類比控台都如此昂貴。

除此之外，它還有許多好處，像是能夠同時處理多軌的群組軌道，並且擁有極為精準的自動化控制，甚至在高階的混音控台中，VCA Fader 電壓控制放大器推桿正是能夠看出器材好壞的小地方，雖然很難在便宜的控台上看到 VCA Fader 電壓控制放大器推桿的蹤影。

▲　Neve channel fader

Digital Fader
數位推桿

　　Digital fader 數位推桿也被稱為「虛擬推桿」或是「Automated fader 自動化推桿」。它的操作原理為控制一個經過電腦縝密運算過的數值公式，當執行任何 Fader 推桿的動作時，將會對與本身原有的數值進行相乘。數位系統普及後，Digital fader 數位推桿大量出現在各 DAW 數位音訊工作站中，並在搭配的實體 Control surface 控制介面上，將螢幕裡的虛擬 Mixer 視窗實體化，使得混音師能更直覺地操控 DAW 數位音訊工作站與處理音量大小。

　　在現今 DAW 數位音訊工作站的時代，Digital fader 數位推桿除了處理控制基礎的大小運算之外，更能夠搭配 Automation 自動化控制以系統運算的方式來記憶調整時間點，使得歌曲進行之際，Fader 推桿能夠以快速且精準的方式飛躍至正確的位置。

▲　Solid State Logic nucleus 數位控制介面

Pre-Send 前置傳送和 Post-Send 後置傳送

在混音工程中，使用 Auxiliary（Aux）輔助軌道來做為額外聲音的傳送與處理效果器是不可避免的操作動作。如何確保聲音訊號傳遞的過程中是否會受到 Fader 的作用與影響，Pre-send 前置傳送與 Post-send 後置傳送將會扮演非常重要的角色。Pre-send 前置傳送和 Post-send 後置傳送可以直接解釋為「為了該軌道所特別設置的 Aux send 輔助傳送」，也就是指 Fader 推桿處理前即傳送或是經過 Fader 推桿處理後再傳送。Pre 前置與 Post 後置的設定不該一成不變，應隨著狀況來決定 Aux send 輔助傳送的模式，更能夠有效避免調出來的效果受到 Fader 推桿處理的影響。

```
                    ┌─────────┐
────────────────────│  Fader  │────────────────────
                    │  推桿   │
        │           └─────────┘           │
        ▼                                 ▼
```

Pre-Send 前置傳送

確保所有聲音訊號會在經過 Fader 推桿處理之前通過。

換句話說，任何 Fader 推桿所做的音量變化，都不會影響到額外製作的 Aux send output 輔助傳送輸出的設定。因此，在 Pre-send 前置傳送模式下你可以任意移動 Fader 推桿，甚至軌道是靜音的，聲音訊號仍舊會送出至 Aux send 輔助傳送。

Post-Send 後置傳送

確保所有聲音訊號會在經過 Fader 推桿處理之後通過。

換句話說，任何 Fader 推桿做的音量變化，都會影響到額外製作的 Aux send output 輔助傳送輸出的設定。因此，在 Post-send 後置傳送模式下操縱任何的 Fader 推桿參數調整，就會同步控制 Aux send 輔助傳送的聲音訊號。

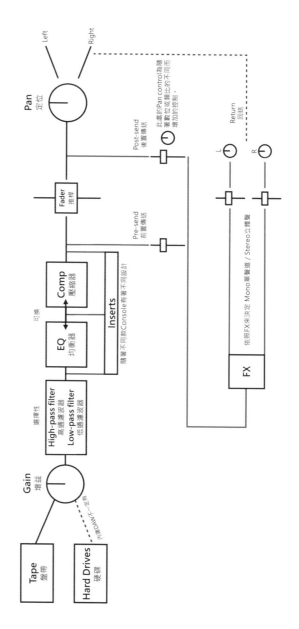

Effects Signal Flow

聲音工程效果訊號流程解析圖

Left

Right

Pan
定位

此處的Pan control為隨
著數位或頻比的不同而
增加的控制。

Post-send
後置傳送

Return
回送

L

R

Fader
推桿

Pre-send
前置傳送

依照FX決定 Mono單聲道 / Stereo立體聲

可換

EQ
均衡器

Comp
壓縮器

Inserts
隨著不同款Console有著不同設計

FX

選擇性

High-pass filter
高通濾波器
Low-pass filter
低通濾波器

Gain
增益

Tape
盤帶

Hard Drives
硬碟

依據DAW不一定有

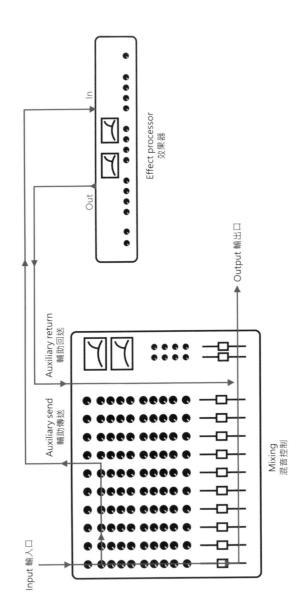

Input 輸入口

Auxiliary send
輔助傳送

Auxiliary return
輔助回送

In

Out

Effect processor
效果器

Output 輸出口

Mixing
混音控制

▲ Pre-send 前置傳送和 Post-send 後置傳送

　　在混音實務操作上，若是想要透過 Aux send 輔助傳送來製造額外的聲音訊號處理，決定是否要切換成 Pre 前置與 Post 後置就會非常重要，否則若移動了主要 Mix 混音的 Fader 推桿，就會連帶影響到額外製作的 Aux send 輔助傳送，尤其是在操作 Automation 自動化控制時，這個狀況會更為顯見。相反的，如果這個 Aux send 輔助傳送是特別用來改變這個軌道的效果，使用 Post-send 後置傳送將能夠避免每一次在改變主要 Mix 混音的 Fader 推桿時，卻沒有處理到 Aux send 輔助傳送效果的情況。

　　當使用 Aux track 輔助軌道進行 Send effect 效果傳送時，Effects 效果器的 Mix knob 影響旋鈕最好設定為 100% Wet 完全影響，因為此時會依照每個獨立 Send 的 Bus 來進行所有單獨音量的調整，能夠避免效果使用不完全，較為可惜。

Panning 聲音定位

用來調整聲音在 Stereo image 裡的左右方向定位稱爲 Pan control 聲音定位控制旋鈕。Pan control 聲音定位控制通常被設計爲以直覺式的時鐘方向標示,雖然並非一定,但大部分的 Centre 中央位置會由 12 點鐘方向開始,7 點鐘方向爲 100% Left 極左,5 點鐘方向爲 100% Right 極右。有些混音控台硬體上除了時鐘式的 Pan control 聲音定位控制旋鈕之外,也能夠透過條狀的控制器 Left 左側、Centre 中央與 Right 右側(LCR)來調整聲音的擺放位置。

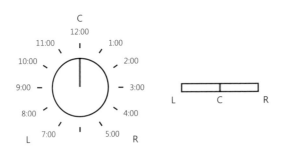

▲　Pan control 聲音定位控制旋鈕與控制器

現今流行的 DAW 數位音訊工作站往往對於 Pan control 聲音定位控制與 Fader 推桿的刻度有自己的一套標準,使用上必須注意指定位置是否相同。像是在 Panning 聲音定位上,Avid Pro Tools 和 Steinberg Cubase 爲共通 201 段的刻度使用標準,而 Logic 和 Cakewalk Sonar 則是使用 128 段的刻度。

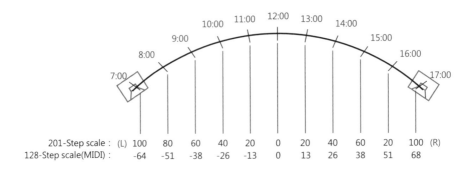

▲　201-Step scale 和 128-Step scale

Effects 效果處理

Effects 效果處理在 Sound image 聲音圖像化的流程中，占了極大的比重。以混音工作最常被問到的問題之一：「如何打開聲音的寬廣度，藉此增加整體聲音圖像化的範圍？」在這個關卡的處理，不止是前述的音量大小或是位置定位即可辦到，操作上仍舊需要依賴許多效果器的調整才有可能達成，甚至將作品推向精緻且更完整的階段。

即便現今的 5.1 聲道、7.1 聲道甚至更高規格 9.1 聲道的 Dolby ATMOS 全景聲懸吊式喇叭、其他 Dolby 實驗室開發的聲音聆聽系統，又或是 Ambisonics 的 B-Format 系統都已較剛進入數位音訊時代普及，但現今全球流行音樂產業的主要聆聽市場還是以 Stereo 立體聲為主是不爭的事實。在 Stereo 立體聲系統有限的條件之下，混音師如何將聲音圖像發揮到最高的聆聽表現，正是既有趣又困難的地方。不只是將聲音圖像的聲場變得更加寬廣，許多效果是需要透過效果器的操作才能夠使得聲音更有記憶點與特色。舉例來說，當混音師希望能夠達成以下的效果：

- 聲音進入歌曲副歌時能夠有更大的差異。
- 整體音樂的詮釋表現能夠更貼近聽眾的聽覺感官。
- 原先的單聲道音訊能夠透過立體聲的處理聽起來有胖一點、厚一點的感覺。
- 聲音圖像的整體聲音音場表現更寬廣。
- 聲音的乾淨程度能夠強化歌曲的張力。

這些都是透過 Effects 效果來處理 Sound image 聲音圖像的精華與功用。而關於 Effects 效果在 Chapter 8 將有更深入的介紹。

Equalization

均衡器

早在電話剛被發明的時代，貝爾實驗室就發現了聲音訊號於傳遞的過程中，因為距離、線材、空間、器材等因素會產生衰減的現象。而產生衰減的聲音聽起來較原始聲音失真且混濁，當時為了解決這個問題，在電話的接收端設置了提升高頻率訊號的裝置，藉此補償訊號的衰減，使得聲音聽起來更為自然。這就是最早 Equalizer 均衡器的原型，而現今 Equalization（俗稱 EQ）均衡器已成為錄音師與混音師愛用的效果器工具。

4.1
Equalizer(EQ)
均衡器

　　EQ 均衡器發展至今，它的功能已經不再只是單純為訊號衰減做補償的 Corrective 矯正工具，其延伸出來的強大功能在用於混音工作時，更可以依照混音師的 Creative 創意的能力展現與整合整首歌曲的思考，使聲音擁有更多元的變化與變得更加個性化。在現今的世界裡，EQ 均衡器扮演著「透過選擇不一樣頻段的頻率，進而調整或控制聲音訊號，來達成頻率的放大或衰減」的角色。

　　EQ 均衡器能夠辦到許多事情，像是維持聲音頻率之間的平衡、增加音色的張力、定位各個樂器的清晰與分離、調整整體歌曲的深度與情緒、開啓曲目的立體聲效果、篩選掉不需要的內容、搭配動態處理並依照頻段得到更好的結果、對於錄音效果進行補償等。以整個混音工程的流程來說，EQ 均衡器就像是一把利刃，能夠輕易地鏟除或削減不想要的頻段，又可以將自己的各種招式揮灑自如。

　　即便 EQ 均衡器的功用不勝枚舉，在處理的同時，用耳朵聆聽頻率與樂器的特性才是正確使用 EQ 均衡器的方式，切記別被圖像化的操作顯示或是依照頻率記憶來固定公式的模式給套牢了，那些只是輔助。

　　在混音工程裡，應用 EQ 均衡器毫無疑問是最具個性且最難操控的過程之一！

▲ Prism Sound Maselec MEA-2 Parametric Equalizer

　　聲音透過空氣粒子或者其他傳導介質的擠壓與推動，傳至喇叭的紙盆接收端，再經過喇叭內部的震動將其動能轉換為電能，以進行後續的反應；然而，當電能衝擊到喇叭內部的紙盆，將電能轉換為動能後，再擠壓推動空中的空氣粒子至耳朵，這才是我們所聆聽到的「聲音」。

　　本書在談論聲音時，常會於聲音後方加入「訊號」兩字，正因為混音工程在談論的內容，有非常大的部分是在與電子學打交道。這也是為何在擔任混音師時，若能擁有電子、電機的背景或是稍微瞭解電子學，對於混音工作絕對有幫助。

4.2

Audio Frequency Bands

聲音頻段

聲音工程中的 Audio frequency bands 聲音頻段大多數會直接在聲音頻譜上顯示出人耳的聆聽頻率範圍 20Hz 至 20kHz。這個範圍的頻率還可以分割成三個主要的 Audio frequency bands 聲音頻段：Low-range frequencies 低音頻率、Mid-range frequencies 中音頻率或中高音頻率、High-range frequencies 高音頻率。

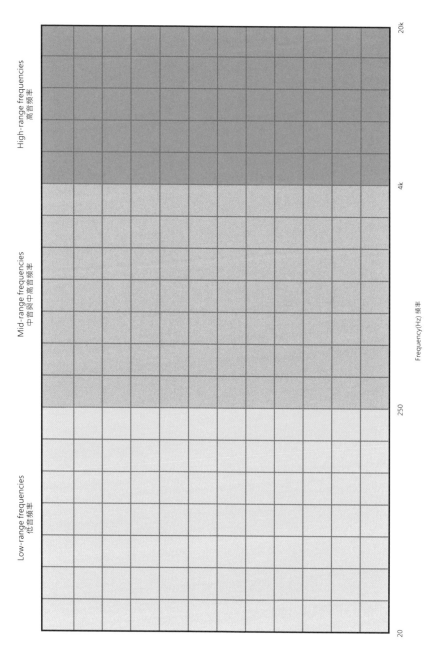

Low-range frequencies
低音頻率

Mid-range frequencies
中音與中高音頻率

High-range frequencies
高音頻率

20   250   4k   20k

Frequency(Hz) 頻率

▲ Audio frequency bands 聲音頻段

Low-Range Frequencies
低音頻率

Low-range frequencies 是屬於較低頻率的聲音，通常被稱爲低音頻率（俗稱 Sub Frequencies 底層頻率或 Bass 低音）。在混音工作中需要特別注意聆聽此頻段的聲響大小與柔軟度，此區塊適當的能量能夠讓聲音帶來衝擊感與震撼感，但過度地增加容易造成聲音模糊與混濁，像是歌曲中重要的基底貝斯或大鼓就可能會消失在曲子中。

在大型音響與小型音響上的低音頻率表現有著極爲明顯的差異，混音時需要特別注意是否遺漏在不同播放器上反覆進行 A/B Test 交叉比對測試。擁有過多能量的低頻率頻段容易導致聲音的混濁感與骯髒感，小型喇叭的單體無法充分表現出低音頻率的響應而容易被忽略。然而，轉換至大型喇叭播放系統並以大音量播放時，這個問題將表露無遺。低音頻率可以劃分爲四個頻段：

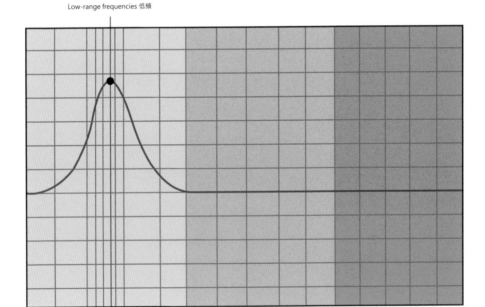

Low-range frequencies 低頻

20Hz

250Hz

Frequency(Hz) 頻率

▲ Low-range frequencies 低音頻率

Sub 超重低音：20Hz 以下

人類的聽覺頻率範圍爲 20Hz 至 20kHz，因此在 20Hz 以下的這個頻段的聲音是不會被聽到的，但它卻能夠被身體清楚地感覺到。在音樂製作中極少使用此頻段的聲響。

Low Bass 低音：20~80Hz

這個頻段的聲響爲人耳能夠聆聽到的最低頻段，最可明顯感受到的特色爲「強而有力的力道」，在播放這個頻段的聲音時，極爲容易造成桌面物件隨著能量的擠壓而震動，這也是最能爲混音作品帶來重量感與衝擊感的區塊。

Mid Bass 低中音：80~120Hz

從這個頻段開始，聲音的音調會逐漸清晰，開始由能量的感受轉換成聽覺上的清晰感，這個頻段能夠非常直覺地感受到聲音力度。

Upper Bass 低高音：120~250Hz

此個頻段爲大部分樂器低音部的落腳位置。80Hz 至 250Hz 的頻段覆蓋了約 12 度音的區塊，能夠有效地增加聲音厚度與豐滿度。

Mid-Range Frequencies
中音頻率與中高音頻率

　　Mid-range frequencies 屬於中頻率的聲響，通常被稱爲中音頻率與中高音頻率。此頻段能夠給予聲音「身體」，也是影響聲音的肉、顏色、響度、清晰顆粒感受最主要的部分。此區塊若是擁有太多能量，容易造成聲音過於沉悶，似乎被某種材質包覆起來的感受。在中音頻率與中高音頻率裡，可以劃分爲三個頻段：

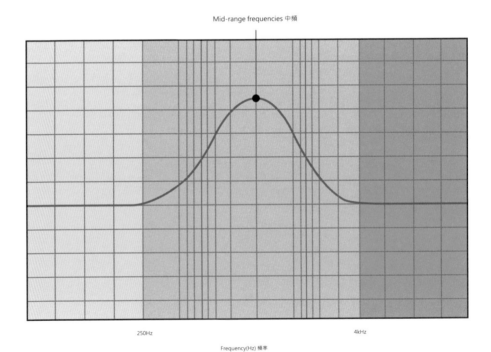

▲　Mid-range frequencies 中音頻率與中高音頻率

Low Mid-Range 中低音：250～500Hz

這個區塊大約是一個 8 度音，此頻段為主要樂器低音存在的區塊，通常能夠輕易尋找到標準錄音室的空氣氛圍，和幫忙提升低音弦樂或者其他低音樂器的清晰度。適當處理往往能夠有效並巧妙地處理好音樂的基底構造，像是大鼓與貝斯之間的契合度。

Mid-Range 中音：500Hz～2kHz

這個區塊大約是兩個 8 度音，此頻段也是各式樂器最主要的頻率區塊，無論是聲音的音質、音色，此區塊能夠輕易地為聲音增加更多能量，但是長時間專注於此區塊容易讓聽覺神經感到疲勞。此頻段能夠有效增加聲音的識別度和豐厚度；相反的，若不足則容易造成聲音單薄，產生「被挖了一個洞」的聽覺感。

Upper Mid-Range 中高音：2k～4kHz

2kHz 至 4kHz 這個區塊大約是一個 8 度音，人類的聽覺對於此區塊的聲響有著極度敏感的感受，此頻段的聲響容易影響聲音的和聲、響度、清晰度、現場感、識別度。通常為了讓 Backing vocal 背景和聲聽起來更加透明富空氣感，處理上也常以刪減此頻段頻率來達成目的，而這個頻段的聲響通常也是處理節奏類樂器 Attack 啟動值的關鍵。

High-Range Frequencies
高音頻率

　　就如字面上的意思，高頻率的聲響通常稱為高音頻率。此頻段能夠帶給聲音空氣感，影響聲音的光澤、環境、亮度、氛圍。在高頻裡，可以大略將聲音分為兩個頻段：

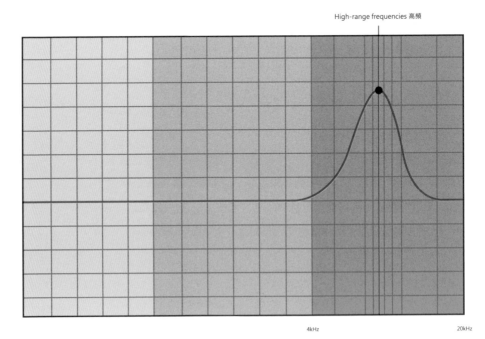

High-range frequencies 高頻

4kHz　　　　　　　　　　　　　　20kHz

Frequency(Hz) 頻率

▲　High-range frequencies 高音頻率

Presence Range 呈現範圍：4k～6kHz

　　這個頻段的頻率僅占了約 8 度音，卻是極為顯著的區塊。調整頻率的過程中會連帶影響到聲音的能量，適當的處理能夠給予人聲或是樂器的高音聽起來更加緊密、紮實、鮮明。然而，過度調整容易讓聲音聽起來尖銳與刺耳。如果爲了取得清晰的人聲或是吉他，此頻段能夠有效處理出形狀分明的聲音。

Brilliance Range 亮度範圍：6k～20kHz

　　此頻段占了約兩個8度音，除了能夠突顯聲音的清晰度之外，還連帶拉起聲音中的「空氣」，讓聲音多了一層「明亮」的感覺。在一些模擬出來的 Synth 合成器聲響中，此頻段能夠使聲音聽起來更自然與眞實。然而，過度依賴容易誘發出人聲的唇齒音與氣音，也容易使聆聽者察覺出聲音後製所產生的不自然感。

　　無論哪種語言皆存在所謂的「Sibilance 唇齒音」，是嘴唇與牙齒結合時所發出的輔助氣音或噓嘶聲，像是英文的 S、T、V 或是中文的ㄔ、ㄘ、ㄕ等。

　　唇齒音在混音工程上是非常令人頭痛的問題且容易導致聆聽上的不舒服，有時候透過廣播或是其他播映方式還會造成聲音失真。

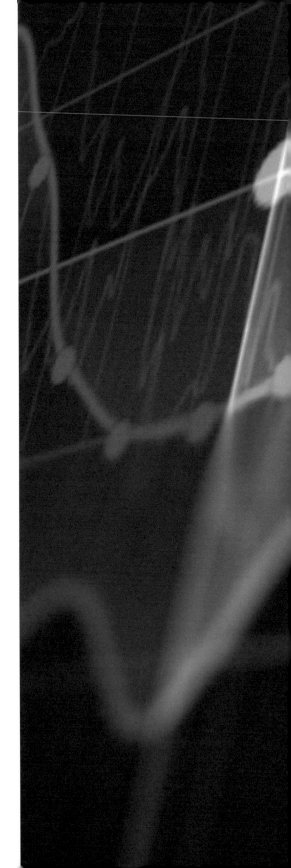

4.3

Equalizer Common Control

均衡器的基本控制

在混音工程當中，無論是 Recording 錄音與 Mixing 混音，甚至於 Mastering 母帶後期製作階段，EQ 均衡器都可以用來改善聲音本質的表現，或是幫助某些聲音更為突出。仔細地聆聽並瞭解聲音於不同頻段內的表現後，透過 EQ 均衡器的調整，能夠為聲音帶來許多截然不同的變化。

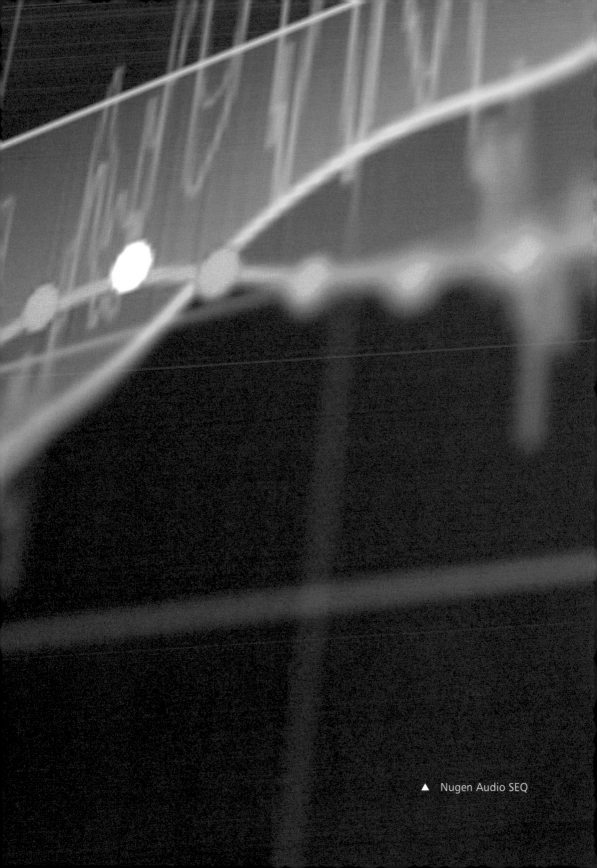

▲ Nugen Audio SEQ

Quality Factor

關於 EQ 均衡器的眾多詞彙裡，Quality Factor（俗稱 Q 值）值絕對是最重要的一個。Q 值代表選擇的中心頻率點兩側的截止頻率點之間彎曲線的弧度，當 Q 值愈大，截止頻率點間的範圍就愈集中；相反的，Q 值愈小，選取的區塊範圍則愈分散，聲音被影響的範圍也就愈廣泛。也就是說，透過 Q 值，可以改變聲音曲線的平坦度。

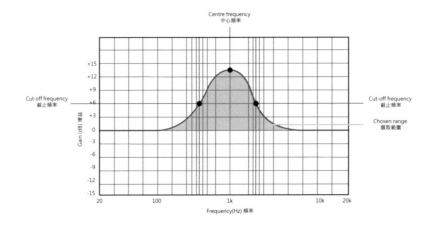

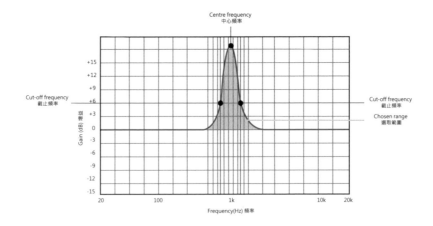

▲　Q 值

Peak Filter 峰值濾波器

　　Peak filter 峰值濾波器能夠針對 Q 值選取的截止頻率點範圍內做頻率衰減與增加的動作。

Pass Filters 通過式濾波器

　　與 Peak filter 峰值濾波器相反，Q 值選取的截止頻率點範圍之外的頻率才會被衰減，只有被選取起來的範圍能夠通過。通常能夠自由操控截止頻率點的位置，並自行設定斜率來控制濾波的大小。

Low-Pass Filter 低通濾波器

　　選取了截止頻率點之後，Low-pass filter 低通濾波器（俗稱 LPF 或 High-cut filter）能夠使得較這個頻率點高的頻率衰減掉，只有比這個頻率點低的頻率才能夠不受影響地通過。

　　正因為能夠控制衰減高頻率的選取範圍，Low-pass filter 低通濾波器最常被使用在去除唇齒音的嘶聲，或是處理硬體器材無法預知所發出的高頻率噪音。

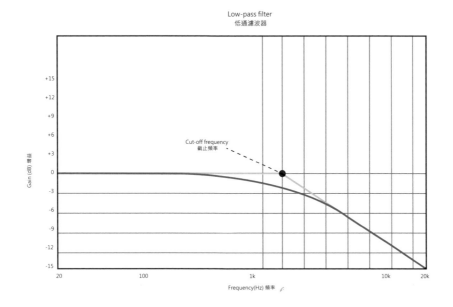

▲　Low-pass filter 低通濾波器

High-Pass Filter 高通濾波器

選取了截止頻率點的位置之後，High-pass filter 高通濾波器（俗稱為 HPF 或 Low-cut filter）能夠使得較這個頻率點低的頻率衰減掉，唯有比這個頻率點高的頻率才能夠不受影響地通過。

在混音工作中，聲音擁有大量的低頻能量有時候不見得是好事，反而在聲音的呈現上會造成模糊不清與混濁狀況產生。除此之外，太多的低頻堆積也容易造成相位相抵的狀況產生，若想避免聲音與聲音合併的加法效應，適時使用 High-pass filter 高通濾波器來進行衰減，去除掉整體聲音低音裡不必要的低頻或是中低頻，除了更能夠幫助聲音的分離，還能夠增加聲音的清晰度和精確性，也能夠有效避免此區塊頻率的堆積。

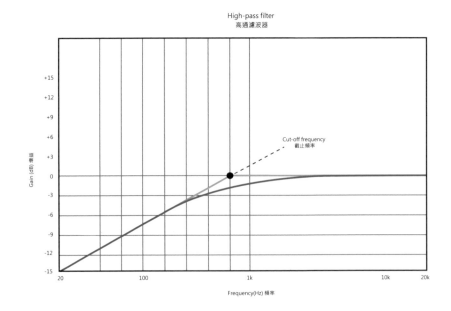

▲ High-pass filter 高通濾波器

Band-Pass Filter 帶通濾波器

　　刪除 Q 值設定的中心頻率點之兩側截止頻率點之外的頻率，只有被選取的頻段範圍的頻率能夠通過。

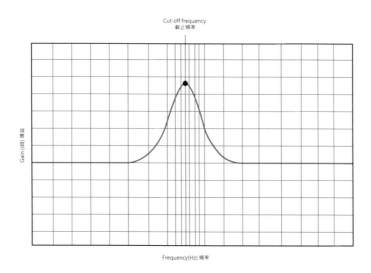

▲　Band-pass filter 帶通濾波器

Notch Filter 陷波濾波器

　　削減掉 Q 值設定的頻率點的頻段範圍。

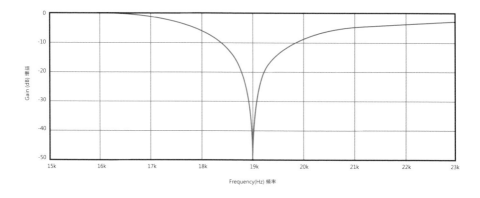

▲　Notch filter 陷波濾波器

Shelving Filters 擱架式濾波器

　　Shelving filter 擱架式濾波器的調整方式除了在混音工作之外，日常生活中也常會出現使用此種 EQ 均衡器的調整模式。舉例來說，一般家裡的 Hi-Fi 音響或是好一點的電腦音效卡都有另外調整低音與高音的功能。

Low-Shelf Filter 低擱架濾波器

　　選取的中心頻率點之上的頻率，可以透過 Gain 增益來增加或減少頻率變化。

High-Shelf Filter 高擱架濾波器

　　選取的中心頻率點之下的頻率，可以透過 Gain 增益來增加或減少頻率變化。

　　　　Low-shelf filter 低擱架濾波器和 High-shelf filter 高擱架濾波器與 Low-pass filter 低通濾波器和 High-pass filter 高通濾波器看起來很像，但在使用上完全不同。Shelving filters 擱架式濾波器可以讓選取的頻率產生增加或減少的變化，而 Pass filter 通過式濾波器則是針對選取的頻率進行衰減或減少。

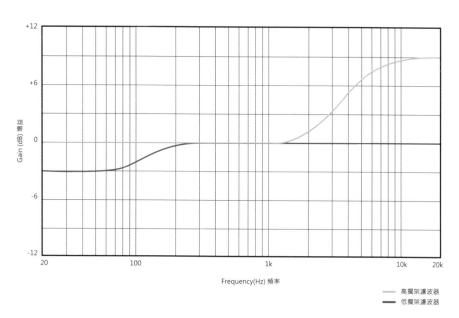

▲ Shelving filters 擱架式濾波器

4.4

Types of Equalizer

均衡器的種類

EQ 均衡器是混音工作中最有力且最常使用的工具之一。它可以扮演單軌聲音在整個混音工作中最完美的陪襯，也可以是將聲音特色發揮到極致的主力。瞭解各個種類的 EQ 均衡器，能夠幫助混音師在遇到不同情況的時候，正確地挑選使用最適合的 EQ 均衡器，並增加工作的效率，接下來就介紹幾款重要的 EQ 均衡器。

▶ Equalizer（EQ）均衡器

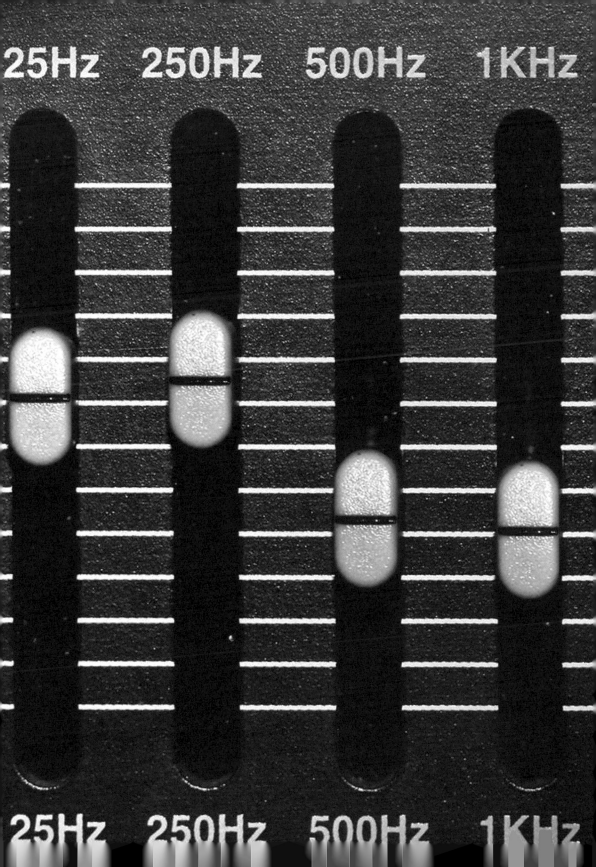

Graphic EQ 圖形均衡器

Graphic EQ 圖形均衡器最明顯的識別特徵是以密集的 Fader 推桿為主要調整頻率的設計結構，除了擁有對於頻率點的個別操作能力之外，Q 值為固定不可變動的設計。以最常見的 10-band Graphic EQ 為例，以推桿的方式依序排列，整齊地將頻率拆解為十個頻率點，每個中心頻率點都是以一個 8 度音做為間隔。再以 30-band 的 Graphic EQ 來舉例，在 30-band Graphic EQ 上擁有 30 個可各自獨立操作的推桿，每個中心頻率都是以 1/3 個 8 度音做為間隔。

▲　dbx iEQ-31

Graphic EQ 圖形均衡器提供了直覺的操作方式，使用者只需要依照選定的頻率進行增益或衰減，即可透過確認過載的燈號是否亮起，並仔細聆聽明顯的調整差異來瞭解調整的結果。但這樣的操作也帶來些許缺點，正因為頻率點是依照器材出廠時的設計而固定，因此，頻率與頻率之間的分界點沒有調整彈性。像是相較於 Parametric EQ 參數均衡器，Graphic EQ 圖形均衡器的調整就沒有那麼平順與具有彈性。

Graphic EQ 圖形均衡器被廣泛應用在外場音控或是成音技術的硬體設備，主要拿來依照不同場地或者演出而做出因應的音色調整，以防止聲學原理中的 Feedback 回授的產生。而在混音工程中，Graphic EQ 圖像均衡器則常被拿來進行空間校正，像是錄音室空間的聲音殘響

值測試、補償聲音的聲音反應與喇叭校正的聲音
效果。然而，一些老牌的知名效果器廠商仍舊
繼續依照混音工程的需要推出實用且具個性的
Graphic EQ 圖形均衡器，像是 API 公司推出的
560 EQ，至今仍是經典款。

此外，在 Frequency training 頻率訓練當中，
Graphic EQ 圖形均衡器是不可或缺的測試設備。
固定頻段的 Fader 推桿加上操作上的限制，反而
成為受訓者能夠更加專注於頻率的訓練優勢。
最典型的頻率訓練測試方法為，播放一段 Pink
noise 粉紅噪音，直接在不同頻段的 Fader 推桿
上進行增益或衰減的測試與解答，進而瞭解每個
區塊頻率因 EQ 均衡器所產生的變化與差異。

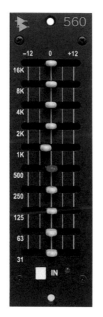

▲　API 560

　　Amplifier 喇叭擴大器的 Feedback 回授為電路輸出後的
一部分回送到輸入處，因再次被放大而引起的聲音現象。
若是 Feedback 回授的訊號與原本輸入訊號的相位相同（In
phase），稱為「Positive feedback 正回授」，反相（Out of
phase）則稱為「Negative feedback 負回授」。常聽見的喇
叭廣播系統產生的尖銳噪音往往是 Positive feedback 正回授
所造成的後果，在 Negative feedback 負回授的情況中，訊
號會因為相位消抵而產生訊號衰弱的較小輸出訊號。

Parametric EQ 參數均衡器

　　Parametric EQ 參數均衡器可以說是目前在混音工程中，最受混音師與音樂家所青睞，也是最常出現在錄音室裡的器材。此均衡器給予操控者四項主要的操控參數：

● Frequencies 頻段頻率。

● 設定頻率位置點、Amplitude 振幅調整（通常顯示為 Gain 增益）。

● 控制頻率點的大小、Bandwidth 寬度（通常顯示為 Q 值）。

● 決定影響的範圍、Band type 頻段模式（通常會有 Low-pass filter 低通濾波器、High-pass filter 高通濾波器、Low-shelf filter 低擱架濾波器、High-shelf filter 高擱架濾波器、Band-pass filter 帶通濾波器、Notch filter 陷波濾波器能夠選擇）。

　　透過額外選擇聲音頻段的方式來實行額外的 EQ 均衡器增益或衰減，並透過不同款式的濾波器，使得在 EQ 均衡器的處理上可得到另一個更細緻的結果。它不像 Graphic EQ 圖形均衡器可以同時控制 30 個頻段的頻率聲響，但卻擁有比 Graphic EQ 圖形均衡器更多的操作選項，可以更細緻地處理聲音細節，並延伸其操控性。

▲ Tube-tech EQ 1A

Paragraphic EQ 參數圖形均衡器

　　將所有 Parametric EQ 參數均衡器的功能「視覺化、圖形化、直覺化」的 EQ 均衡器稱為 Paragraphic EQ 參數圖形均衡器。Paragraphic EQ 參數圖形均衡器有一個極為強大的地方，它將所有參數數值化為「圖形」或是「數字」供操作者直接調整，並即時以圖形呈現，對於 EQ 均衡器的操作能夠給予更多透過聽力與直覺的搭配，進而進行更多創意表現或是細節修整。

　　至今擁有實體的 Paragraphic EQ 參數圖形均衡器器材仍舊不多，原因在於需要大量且昂貴的模組與顯示裝置，且在設計上極占空間，僅有少數廠商願意推出實體化的 Paragraphic EQ 參數圖形均衡器。然而，在軟體的程式撰寫上並不需要像硬體效果器的額外成本，因此 Paragraphic EQ 參數圖形均衡器的軟體效果器種類繁多，也廣受音樂工作者喜愛。

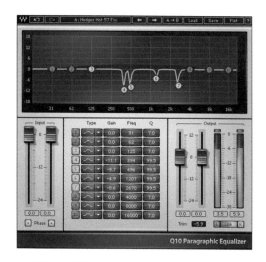

▲　Waves Q10

Semi-Parametric EQ 半參數圖形均衡器與
Quasi-Parametric EQ 類參數均衡器

這兩款 EQ 均衡器的操縱性和靈活度都相當高，在許多傳統的混音控台上都能看見它們的蹤影且深受混音師喜愛。它們至少會擁有三個主要的頻段旋鈕提供調整：Gain 增益、Low-pass filter 低通濾波器或 High-pass filter 高通濾波器。

Semi-parametric EQ 半參數圖形均衡器與 Quasi-parametric EQ 類參數均衡器在操作上非常相似，兩者不同的地方僅在於 Semi-parametric EQ 半參數圖形均衡器沒有提供設定 Bandwidth 頻段寬度（Q 值）的參數，它的 Q 值會被器材的原廠所固定（或者根本沒有 Q 值！），因此在調整 Semi-parametric EQ 半參數圖形均衡器的過程中，必須屏除一般使用 EQ 均衡器的 Q 值的想法來進行調整，往往可以得到較為粗曠的聲音。

Quasi-parametric EQ 類參數均衡器的 Bandwidth 頻段寬度則是依照 Gain 增益的大小來做改變，當 Gain 增益放大時，Bandwidth 頻段寬度也會連帶被放大，因此在 Quasi-Parametric EQ 類參數均衡器的調整上難度會較高，牽一髮動全身的設定容易讓聲音有著巨大的影響，明顯地放大了許多 EQ 均衡器參數上的效果。

正因為這兩款 EQ 均衡器對於 Q 值的限制，使用起來不像 Parametric EQ 參數圖形均衡器那樣方便。但反過來想，當遇到不好處理或較為頑固的聲音時，又對於使用 Parametric EQ 參數圖形均衡器沒什麼頭緒，或是怎麼樣都調不出想要的感覺，這時換換 Semi-parametric EQ 半參數圖形均衡器或 Quasi-parametric EQ 類參數均衡器或許可以得到令人驚喜的結果。

▲ API 550A 與 API 550B

Dynamic EQ 動態均衡器

　　相較於其他款，Dynamic EQ 動態均衡器功能極為強大，同時擁有 Equalization 均衡與 Compression 壓縮功能的動態均衡器常被使用在 Mastering 母帶後期製作。一般的 EQ 均衡器參數調整中，頻段是不可變動的，而在 Dynamic EQ 動態均衡器卻能夠隨著頻段寬度的增加而產生變化，換句話說，在 Dynamic EQ 動態均衡器上的所有動態參數，都可以用來調整聲音頻段的提升或衰減。

　　除了處理 Mastering 母帶製作階段之外，Dynamic EQ 動態均衡器能夠勝任非常多混音的工作，像是面對太高頻率的腳踏鈸，使用一般 EQ 均衡器進行 Filter 濾波處理時，也許能夠刪減太過刺耳的高頻，但反倒使腳踏鈸的亮感消失；抑或需要處理頻率錯綜複雜的樂器演奏時，Dynamic EQ 動態均衡器也可以扮演極度適任的角色。

▲　Brainworx bx_dynEQ V2

4.5

Equalizer Strategies

均衡器的應用

　　頻率的處理，一直都是混音工程中最奧妙的地方。EQ 均衡器依照工作階段有不同的使用模式，它經常扮演牽動全身的角色，而它的位置擺放更影響到最終聲音的形狀。正因爲如此，在進行頻率調整的過程中，我們常無意間對於聲音訊號做出過度的調整，在此特別舉列幾點有關頻率調整的常見問題。

頻率的拆解與黏著

　　避免頻率打架與聲音整體平衡為混音工作中非常大的重點。善用 High-pass filter 高通濾波器能夠有效避免低頻率樂器上的高音漏網之魚。所有樂器都有它最主要的中心頻率範圍。舉例來說，過濾掉「不屬於」低音樂器的低音頻率能夠避免不必要的頻率堆積問題，同時也能夠對於整體混音的清晰度有非常顯著的提升。

　　談起 EQ 均衡器其實有時候是矛盾的，既需要聲音與聲音緊密相黏，卻又希望它們各自分離透澈。聲音的世界裡並沒有所謂的對錯，只有個人主觀意識的好聽與否，每一個參數的調整都是混音師的創意。當面對的曲子較為複雜、同屬性樂器比例極高的時候，此時 EQ 均衡器除了能夠辦到如同前述的拆解頻率功用，也能夠當作黏著劑使用。若嘗試將各軌道主要的中心頻段視幅度衰減，藉此避開頻率的累加，也會發現兩個軌道之間的契合度愈來愈高。

思考加法與減法

使用 EQ 均衡器時往往為了取得更多聲音的形狀，而下意識去尋找主要的中心頻段並增加它。這樣除了容易造成聲音能量的爆發之外，當綜合軌道後，聲音能量的累加並不是好事，也會造成後續處理的困難。舉例來說，當面對人聲時，適當的減少 800Hz 左右的頻段，反而能夠給予聲音更多身體和形狀的聽覺感受，而不是直覺的將 800Hz 往上增加，這就是在混音上常聽到的「用減法來思考」。

當採用加法思考來使用 EQ 均衡器時，不僅過多 EQ 均衡器的使用容易使得聲音產生過度調整的狀況，在混音工作中使用了太多的數位效果器，還會容易造成四種情況：

● 因為聲音波形相互消抵而產生的 Phase 相位狀況。
● 聲音頻率打架，造成某些頻率特別突出或是特別吵雜。
● 聲音變得又髒又模糊。
● Latency compensation 延遲補償的狀況發生。

試著使用減法的概念下去執行混音工作，在某些層面來說是能夠輕易解決上述問題的。不僅是 EQ 均衡器，在處理混音工作，應該要注意一個非常大的重點：**用最少的效果器，得到最好的結果。**

當聲音訊號經過額外的效果器錄音或運算時，容易造成一個短短的時間延遲，稱為 Latency compensation 延遲補償。這樣狀況下製造出過多的延遲，容易產生音軌與音軌之間的時間差問題。

Panning 定位和 EQ 均衡器的巧妙關係

拆解 EQ 均衡器的聲音動作時，大部分情況是在處理頻率與頻率的分離，並非位置與位置的分離。只不過於頻率的拆解動作下，容易讓經驗較淺的創作者感到聲音被打開了，出現位置被拆開的錯覺，而無意識的營造出 Big mono 大單聲道的聲音圖像。

處理 Stereo mixing 立體聲混音時，效果器與 Balance 平衡處在非常微妙的關係。Balance 平衡處理的好，效果器就只是扮演畫龍點睛的角色。EQ 均衡器的使用非常直接地對於聲音素材有決定性的改變，無論增加或是衰減，往往爲了達成音色的改變，也有可能無意間連帶影響整體處理好的 Balance 平衡，因此在決定直接使用 EQ 均衡器前，先試試更改音軌本身的位置吧！

EQ Automation 均衡器的自動化控制

在處理 Automation 自動化控制參數時，不只能對於聲音訊號大小與位置做改變，效果器的所有參數也都可以併入 Automation 自動化控制裡，無論透過 CC Control 或是套用 Automation 自動化控制的設定，所有 EQ 均衡器的操縱都將更加靈活具彈性。

依照曲目的橋段設定不同的 EQ 均衡器頻率效果，不但讓 EQ 均衡器的使用不會這麼死板，整首曲子也能夠更加生動與活潑。舉例來說，若是單純操控 EQ 均衡器裡的中心頻率參數，EQ 均衡器的使用將會單純以定點模式對於聲音素材做全段式的效果處理。然而，將中心頻率參數套用至 Automation 自動化控制上，讓參數的低音頻率至高音頻率的左右移動套用至設定中，此時能夠製造出非常絢麗且容易控制的類似 Cinematic 電影音效的掃頻音效，當然最終聲音的呈現仍舊需要依賴聲音素材本身，但非常適合電子合成器聲效製作或是過門的處理。

嘗試不同廠牌、不同種類的 EQ 均衡器

因為空間、時間、地點、人的因素，即便相同的樂器，每次處理歌曲的聲音素材絕對不一樣，因此，沒有特定廠牌的 EQ 均衡器或是特定的參數設定 100% 適用於每一種聲音情況。

在情況允許下，每一次的混音於不同的聲音素材與曲子，多嘗試不同品牌與不同種類的 EQ 均衡器往往可以得到出乎意料的成果。以 iZotope 公司推出的 Ozone 效果器為例，它的 EQ 均衡器除了上述舉列的所有功能之外，還提供 Analog 類比或 Digital 數位的調整切換開關。當混音師將 EQ 均衡器定位為 Corrective 矯正的工具時，Digital 數位開關提供了不對聲音訊號產生任何渲染的效果；而 Analog 類比開關則能夠增添額外聲音 Creative 創意的顏色。

再者，不同廠牌的 EQ 均衡器會有不同的額外功能或特色，許多廠牌的 EQ 均衡器會增加 Phase 相位反轉的按鈕，透過此按鈕能夠使經過 EQ 均衡器的聲音產生翻轉聲音波形的效果，使聲音能夠增加額外的變化，非常適用於多軌近距離收音造成的相位問題。

對於 EQ 均衡器的使用，親自嘗試每個廠牌的聲音屬性與特色、瞭解每個型號與參數設定之間的搭配，再用耳朵去聆聽，搭配頻譜觀察聲音波形的改變，這些都是使用 EQ 均衡器的要點。

會說謊的頻譜

頻譜絕對是混音師一個非常重要的工具，它可以告訴混音師當下處理的動作連帶的 Frequency response 頻率響應。然而，在頻譜上的一部分低頻訊號，其實是有可能來自於無法預測或是既定存在的物理噪音。這些聲音訊號是無法這麼直接「被聽到」的，但卻會在無形當中堆積能量，且占據整體混音不少的 Headroom 動態空間，需要特別注意。

Dynamic

動態

在聲音的世界中，無論何種播放系統都有其專屬的 Dynamic 動態。音樂產業也不例外，當混音師在真正瞭解如何進行 Dynamic control 動態控制前，先瞭解身處的環境、需要以什麼樣的系統去處理怎麼樣的聲音素材是處理動態的先決條件。舉例來說，人耳的動態範圍約為 120dB、黑膠唱片的動態範圍約為 60dB、FM 廣播的動態範圍約為 65dB，瞭解不同系統下的動態範圍播放出來的聲響，與聆聽者感受到的動態差異息息相關。

5.1

Dynamic Range

動態範圍

▲ 動態控制的好，聲音的呼吸與情緒更能夠被彰顯

　　混音工作有許多方式可以調整與控制聲音訊號的動態，像是 Compressor 壓縮器、Limiter 限幅器、Expander 擴展器、Noise gate 噪音閘門的使用之外，還可以透過 Automation 自動化控制或是調整單一聲音素材的訊號大小，即便方法不同，都可以達到動態控制的目的。

　　因此，當瞭解何謂動態後，混音工程中一個相當重要的名詞出現了－Dynamic range，它指的是系統裡容納的最大音量與最小音量之間的差異值。控管好 Dynamic range 除了能夠讓整首歌曲的聲音情緒更有張力，在音質的顯現上也能更加完美。

　　在音樂製作或聲音處理上，沒有一套既定的 SOP 能夠 100% 應用在所有專案裡，也沒有一定該怎麼做才能夠得到好聲音。無論在 Mixing 混音階段、Mastering 母帶後期製作階段，甚至於 Recording 錄音階段，Dynamic control 永遠都有領略不完的藝術和累積不完的經驗。瞭解音訊處理每個參數的意義與連帶動作，才是得到好聲音的關鍵。

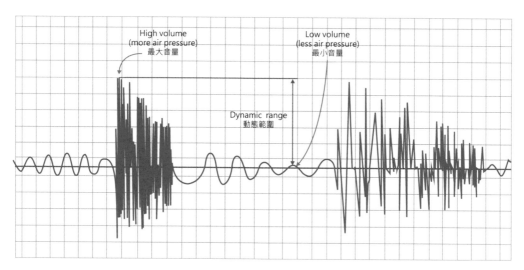

▲　Dynamic range

5.2
Compressor
壓縮器

Compressor 是在混音階段中最容易被拿來誤用或是過度使用的處理程序。Compressor 就像一把雙面刃，它能夠使得聲音訊號更大、更響亮、更有衝擊力、更飽滿，並給予歌曲截然不同的生命力，說是整個混音作品呈現上的重要關鍵之一也不為過，但過度使用卻又容易破壞聲音訊號的整體表現。

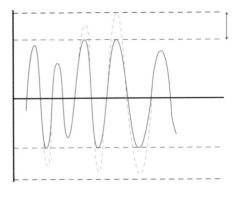

▲ Compressor 能夠依照聲音波形的狀況進行壓縮

Threshold 閘門

在開始認識 Compressor 的參數前，先以水庫閘門來比喻 Compressor 的運作模式。圖上最左方的儲水空間，當閘門尚未降至水面下時，水無法透過閘門所開啓的縫隙流至另一個空間；當閘門開始下降，部分的閘口逐漸落至水平面下，左方空間接觸到閘口的水就能夠因爲縫隙而流進右方的空間裡；當閘門完全落至水面下時，左側的水就能夠不受限制地透過閘口進入右方空間。

Compressor 中的參數 Threshold 就好比上面所舉例的過水閘門，它能夠掌控聲音訊號流進 Compressor 的時機。舉例來說，原始的 Threshold 數值爲 -3dB 時，代表此時只有大於 -3dB 的聲音訊號，能夠進入 Compressor 並啓動後續的壓縮機制。換句話說，Threshold 是用來針對超過臨界值的聲音訊號，來掌控聲音訊號的壓縮啓動值，但此時只要小於 Threshold 設定值的聲音訊號將不受到任何影響。當 Threshold 的數字設定值愈小，此時被操控與被壓縮的聲音訊號就愈多。

在聲音單位中，以 -3dB 爲例，-2dB 與 -1dB，都算是比 -3dB 還大的數值。相反的，-10dB 或 -20dB 數值相較於 0dB 都算是較小的數值。

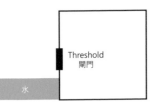
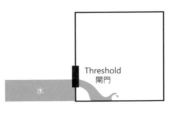
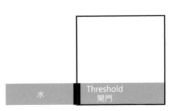

▲ 透過控制水庫閘門，左方空間中的水可流至右方空間

Ratio 壓縮比

日常生活中，使用水管連接水龍頭灑水時，常會因為水壓不足而限制了灑水範圍。此時為了將水灑得更遠，捏緊水管口藉此壓縮出水口，讓水流通過縮小的出水口時，因為壓力而灑得更遠。

回到前面閘門的例子，假設過水閘門現在的位置是直接落在儲水區的水面下，此時左方空間中的水會全部往右方傾瀉，而閘口的大小將會影響水流流出閘口的力道。閘口愈大，水流受到的壓縮較小，流動的速度便較為緩慢；閘口愈小，通過閘口的水流則會愈急促，力道也愈大。

Ratio 這個參數概念與水管非常相似，它代表聲音訊號進入 Compressor 後的壓縮比率。如果 Ratio 設定為比例 3:1，此時所有超過 Threshold 設定值的聲音訊號，將會以 3dB 為單位轉換成 1dB 作為最終輸出的聲音訊號。因此，超越 Threshold 數值的原始聲音訊號將會依照壓縮比例進行壓縮。

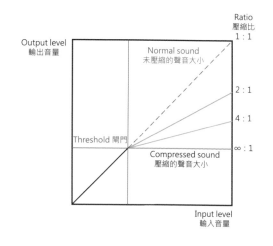

▲ 不同的壓縮比對於聲音訊號的壓縮差異

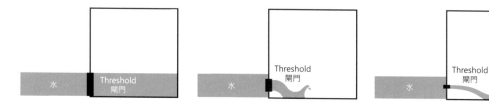

▲ 閘口大小對於水流壓縮的影響

ADSR

　　Attack 啓動值、Decay 衰減值、Sustain 延續值與 Release 釋放值合稱爲 ADSR。透過調整 ADSR 可以重新塑造聲音的屬性，就算只是極爲細小的調整都可能製造出完全不同的聲音，它在許多混音工程的程序或效果器當中都扮演關鍵的角色，也是在製作合成音樂或是電子音樂上極爲重要的調整參數。

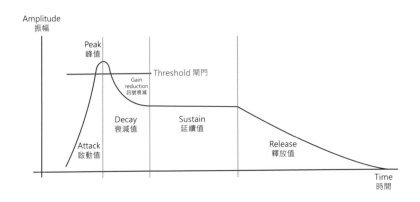

▲　ADSR 參數作用過程時間圖

Attack 啟動值

　　在正常的物理概念裡，開啓閘門需要反應時間，而閘門開啓的速度將會影響水流進入右方空間的瞬間水流速度。當聲音訊號依據 Threshold 設定值進入 Compressor 時，Attack 可以控制聲音從 0% 至 100% 完全流進 Compressor 所需的時間。

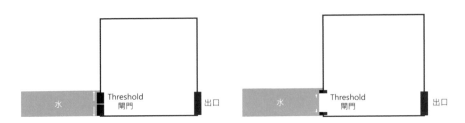

▲　閘門開啟的速度能夠影響水流流進右方的瞬間流速

Decay 衰減值

聲音訊號達到 Threshold 的設定值後，由 Attack
來控制聲音訊號提升至 100% 最大振幅的速度，再透
過 Decay 來控制從聲音訊號的 100% 開始降低所需要
的時間。

> ADSR 四個參數，
> 是影響聲音壓縮好壞
> 最關鍵的部分，也是
> Compressor 最精華且
> 最困難的地方。

Sustain 延續值

聲音訊號透過 Decay 的設定後進而衰減，此時
Sustain 能夠用來控制聲音訊號以延續平穩的方式持續
的時間。

Release 釋放值

回到前面的例子，假設水庫的水通過閘門流出
後，會進入用來蓄水的大箱子，並累積在空間內，此
時若是擁有一個出口的閘門，就可以讓水流通過並排
放出去，但水流完全排放還是需要些許時間。

Release 與蓄水箱子非常相似。它是用來設定聲音
訊號從延音音訊衰減回 0% 的時間，換句話說，它用
來決定 Compressor 作用後聲音訊號完全衰減至釋放完
畢所需要的速度。

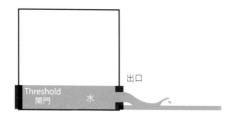
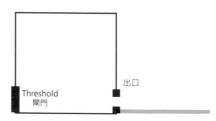

▲　水流進入蓄水空間後，需要時間來釋放原先儲存的水

聲音訊號猶如水流般源源不絕，在 Compressor 的控制上，通常需要考慮聲音與聲音之間處理與釋放的速度，來調整聲音訊號 Attack 與 Release，才不會導致聲音訊號尚未壓縮完畢，後面的聲音訊號又接踵而至的狀況產生；但當聲音訊號的壓縮處理過於快速，又容易損失原本自然震動的音感，及聲音原有的美感。

舉例來說，假設聲音的 Peak 峰值太過尖銳而導致聆聽上的不舒服，透過調整 Attack 與 Release 就能有所幫助。將 Attack 和 Release 都設定為極快，如此一來，聲音進入 Compressor 的速度增快，當達到 Peak 高點後，便會因為瞬間被壓縮而使得聲音產生 Gain reduction 訊號衰減的效果，整段聲音訊號的動態範圍就會變得較為接近，聽起來也會較舒服。

雖然不同品牌、不同種類的 Compressor 會有著不同的反應速度，但在操作原理上都是相同的。所有參數的調整並不會有一個固定流程，若是不知從何下手，這裡提供一個基本的 Compressor 操作流程。

先透過 Threshold 決定啟動值，藉此控管究竟哪些聲音訊號需要被壓縮，接著依照 Ratio 來設定壓縮的聲音訊號比例，再透過 Attack 來決定聲音訊號該以怎麼樣的速度反應到聲音的 Peak，然後以 Release 決定聲音訊號至完全消失的速度。

▼ Attack 和 Release 速率表

	Attack	Release
Fast	0-5ms	（現實狀況因為不可能沒有 Release 數值，因此此為概念） 0-10ms
Medium	5-15ms	10-150ms
Slow	15-30ms	150ms-More

Knee 弧度曲線

Knee 用來控管受 Attack 與 Decay 所控制進行 Gain reduction 的聲音訊號的細緻度與轉換程度。在 Knee 的調整上，往往能夠以 Soft 圓滑或是 Hard 堅硬的方式進行壓縮，不同的弧度可以呈現出溫和或者暴力兩種截然不同的聲音表現。

Soft knee 圓滑弧度曲線的壓縮較適合柔軟且溫和的聲音，像是人聲或是群組所設置的軌道，在較圓滑的銜接處理上，能夠盡量避免因為 Compressor 的壓縮而破壞了聲音素材原先的表現。但當聲音訊號的動態變化非常大時，Soft knee 的壓縮也容易因為太過於柔軟而聽不出效果。

Hard knee 堅硬弧度曲線的壓縮則常被拿來處理需要展現力道與速度顆粒的聲音，此時的壓縮效果將會非常直接明顯且強硬，貝斯或節奏類樂器常採用此種參數設定。

並非所有的 Compressor 都擁有可操控的 Knee 參數，且不同廠牌、不同類型的 Compressor，其 Soft 與 Hard 的作用方式與表現方法是截然不同的。因此，Soft knee 與 Hard knee 的選擇上並沒有強制的規定，需要視曲風與製作階段，並依照耳朵的聆聽來判斷。善用各家廠牌的 Knee 參數，便能夠協助混音師依照不同狀況來展現聲音訊號特色的方式。

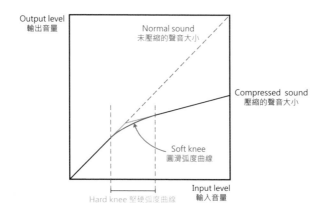

▲ Knee 參數作用圖

Make-Up Gain 輸入增益與
Output Gain 輸出增益

透過 Gain 增益可以用來放大或縮小輸入與輸出的整
體聲音訊號音壓大小。

Key Input 旁路線路連結口

Key input 提供了 Compressor 額外設定的 Bus 匯合箱
入口，用來連接啓動旁路所設置的線路訊號，進而製作
較爲進階的 Side-chain compression 側鏈壓縮技巧的串聯
設定。

Stereo Link 立體聲連結

許多廠牌研發的效果器有單聲道、立體聲不同款式之
分，Stereo link 按鈕提供了使用者在使用 Stereo compressor
立體聲壓縮器時，將左右輸入的訊號連結在一起的能力，
能夠一次性的以相同參數來控制雙聲道的聲音訊號。這點
在處理左右相同，但卻是立體聲軌道屬性的狀況上非常重
要，能夠避免在壓縮立體聲音訊時，產生左右聲音訊號不
同的立體聲的情況。

Downward Compression 向下壓縮與
Upward Compression 向上壓縮

一般提到的 Compressor 大部分意指 Downward compression。此種 Compressor 極為常見，幾乎所有的 DAW 數位音訊工作站或是硬體設備皆擁有此種壓縮法。此種壓縮法，凡低於 Threshold 設定值的聲音將不受 Compressor 的影響，僅有通過 Threshold 的聲音訊號會受到壓縮。

與 Downward compression 相反的壓縮器稱為 Upward compression。壓縮器的 Upward 模式是針對未達到 Threshold 啓動值的聲音訊號進行壓縮，藉此提升啓動值以下的聲音訊號，而超越啓動值的響亮部分不會受到 Compressor 的影響。

相較於 Downward compressor，擁有 Upward 功能的 Compressor 較為稀少，但它卻是 Mastering 母帶後期製作階段不可或缺的工具，透過 Upward compressor 可以真正提升整體音量，又能夠避免上半段音訊的破壞。

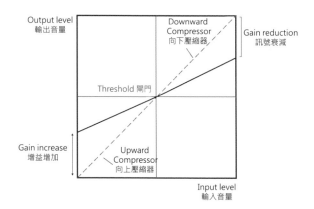

▲ Downward compression 與 Upward compression 的作用差異

Fixed Threshold Compressor 固定閘門壓縮器

　　一般的 Compressor 都具有 Input level 輸入音量、Threshold、Ratio、Attack、Release、Output gain 這些基本的控制參數。然而，某些沒有 Threshold 參數旋鈕的 Compressor，並不代表它沒有 Threshold 的操控選項。這種 Compressor 的 Threshold 數值固定為原廠設定，因此被稱為 Fixed threshold compressor。

　　Fixed threshold compressor 的操作與一般 Compressor 的操作略有不同。由於 Threshold 是固定的，因此在調整上必須透過 Input level 來控制 Compressor 的輸入訊號，當想要整體聲音訊號受到更多壓縮時，再透過 Input level 來增加聲音訊號的流入，藉此改變 Compressor 上的壓縮差異。若是以 Ratio 設定為 4:1 為例，當聲音訊號超越 4dB，此時 Fixed threshold compressor 就會讓 1dB 通過。

　　像出現在各大錄音室中最經典的 Urei 1176，還有知名的效果器公司 Softube 推出的 FET compressor，都是固定 Threshold 參數的 Compressor。

▲　Urei 1176

▲　Softube FET compressor

Multi-Band Compressor 多重壓縮器

　　有時候單純使用 EQ 均衡器來處理與改變音色時，總會覺得就是差這麼一點點，好比隔靴搔癢卻搔不到癢處。此時 Multi-band compressor 就派上用場了。Multi-band compressor 的特色在於可以指定聲音頻段加以壓縮，而非整體聲音訊號的壓縮。

　　極為著名的 L3-16 Multimaximizer 就是非常好的範例。L3-16 雖命名為 16 band level control，實質上是透過 6 band control 來依照不同頻率、頻段來執行聲音壓縮。它透過 Gain 將數值往上拉，來減少該頻段的壓縮；透過 Gain 將數值往下拉，可以增加該頻段的壓縮。

　　正因為多了 EQ 的頻率調整模式，使得聲音壓縮的操作更加靈活有彈性與複雜，透過 Multi-band Compressor，混音師可以選擇任何頻率後進行壓縮，而每一個 Band 頻段還可以選擇不同的 Filter 濾波器（Bell 鐘型或 Low-shelf 低擱架模式）做更進階的壓縮。

▲　L3-16 Multimaximizer

5.3
Limiter
限幅器

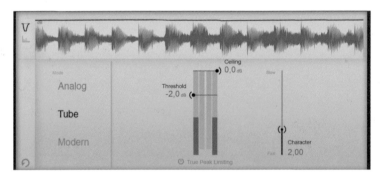

▲ iZotope Ozone 7 Limiter

Limiter 在聲音領域中無所不在，像在 Live sound 現場成音技術用來保護喇叭或是歌手的內耳式監聽、電視台與廣播公司在訊號輸出前用來防止聲音訊號不被干擾、混音工程的 Mastering 階段做最後的聲音訊號掌控、iTunes 或是其他播放器中平均歌曲的音量大小等。

Limiter 全稱 Ultramaximizer，將這個名詞拆開為 Ultra 和 Maximizer，可以猜到「最大化器」這個中譯。混音工程裡，聲音的理想值為 0dBFS，當聲音超過這個容許範圍，將產生 Clipping 數位失真的破音，聲音變得無法補救且刺耳難受，Limiter 便是用來防範與限制音訊動態上限的工具。

Limiter 和 Compressor 非常相似，兩者都是以 Threshold 來設定啓動值，針對超越啓動值的聲音訊號控管並進行壓縮，然而，兩者最大的差異在於 Ratio。Compressor 可以透過設定 Ratio 使它變成 Limiter，當 Ratio 為 10:1 或者更高的情況下，Compressor 對於聲音的壓縮會極為有限，此時它的功用就會類似於 Limiter。但是 Limiter 就只能是 Limiter，因此在使用上絕對要避免混淆。

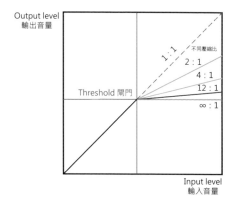

◀ 聲音訊號經過 Threshold 後依照 Ratio 開始降低，壓縮比愈高時，Compressor 的作用就類似於 Limiter

Bobby Owsinski 在《The Mixing Engineer's Handbook》裡有一段對於 Limiter 的說法：**"The compressor is used to shape the dynamics of a song by adding punch and strength, whereas the limiter is used to raise the apparent level of the song by controlling the musical peaks."**

「Compressor 透過改變音壓和強度來增加歌曲的形狀，而 Limiter 通常是用來控制音量的最大值。」

聲音工程師、製作人。Bobby Owsinski 除了聲音工程工作之外，亦為英語系國家聲音工程領域書籍最暢銷的作家，至今已於聲音錄製、音樂製作、混音工程、母帶後期製作、商業音樂等聲音相關領域出版超過 24 本書籍，更是受 CNN 與 ABC 新聞評譽「Bobby Owsinski 為聲音領域的品牌與專家」。

現在對於 Limiter 有了約略的認識，瞭解到它是拿來限制音量或打破整體音量的工具，那它又是怎麼作用的呢？這個原理有點像貨車或是大型車種，在車輛本身的加速設計上擁有「速度調節器」。當設定了車速上限為 80 之後，一旦油門達到設定值 80，無論後續的任何加速動作，最快車速就只會卡死在 80，藉此限制車輛行進的速度。

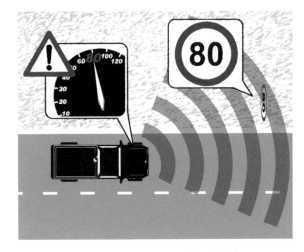

▲　透過速度調節器限制車輛行進的最高速度

設定好 Limiter 的 Threshold 啓動值，超越啓動值的聲音訊號，進入 Limiter 再放出來波形就會受到限制，在需要避免瞬間音量過大的情況之下，Limiter 會是很好的工具。

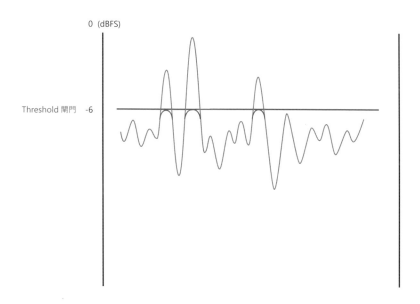

0 (dBFS)

Threshold 閘門　-6

▲　Limiter 依照設定數值對於聲音訊號進行限制

一般情況下，在 Recording 和 Mixing 階段裡，Limiter 的使用率會遠低於 Compressor，它的調整並非像 Compressor 一樣充滿彈性，因此容易造成過多壓縮的情況產生。但當需要處理貝斯的 Slap 類似敲打弦的演奏樂句，這種瞬間音壓非常大的情況下，Limiter 就會是非常好的選擇。

最常花費時間與 Limiter 接觸的關卡是在 Mastering 階段，而最常見的做法是在確認爲最終完整過帶輸出的軌道上，於 Dither 位元降轉器之前掛上一個 Limiter，並將 Out ceiling 輸出限制設定爲一個不影響整體動態範圍的臨界點數值，藉此做爲保護整體聲音的機制。

因為 Compressor 與 Limiter 在 Dynamic 上的發揮空間極大，而衍生出眾多爭議。在 Loudness war 響度戰爭的驅使下（在 Chapter 12 將有更深入的介紹），製作公司常常為了尋求大音量，以吸引一般聽眾短暫的目光，使得這兩個效果器意外成為幫兇。若是 Threshold 的控制不夠完善，過度降低啟動值，整體聲音訊號在進入 Limiter 後被過度提升，即會演變成「系統尚未亮起 Clipping 紅燈，但實際上聲音訊號卻是破掉的」。

舉例來說，若將 Threshold 設置為 -6dBFS，而 Out ceiling 為 0dBFS 時，所有觸及 -6dBFS 的聲音訊號將會被提升至 0dBFS。理論上，整體音量會因此變大，貌似音樂變好聽了，然而，正因整體聲音訊號增加了 6dB，原先在 6dB 的動態範圍聲音訊號就消失了，且原先處理得不夠乾淨的雜訊也會被同步放大。因此，在 Limiter 的使用上需要小心動作。

Limiter 在操作上與 Compressor 極為相似，但較為簡單。Limiter 的使用通常是在混音工程中後端的步驟，因此許多 Limiter 還擁有 Dithering 位元降轉功能。

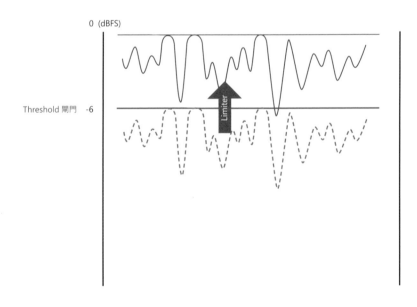

▲ 設定過低的 Threshold 啟動值，導致聲音訊號被過度放大

Threshold 閘門

Limiter 的 Threshold 與 Compressor 的 Threshold 相同，都是用來設定壓縮聲音的啓動值。

Out Ceiling 輸出限制

Out ceiling 是用來設定聲音在經過 Limiter 後的最終天花板高度，換句話說，當聲音經過 Threshold，聲音訊號將會被限制於 Out ceiling 設定的數值，因此達成限制最終輸出大小的功能。

Link 連結

Threshold 和 Out ceiling 之間通常會有 Link 按鈕，它的功用在於同步兩者的連動，同時操控 Threshold 與 Out ceiling 兩者的上下移動。

每一段素材與每一首曲子的風格都不一樣，因此，在效果器的使用上根本就沒有「直接設定什麼參數是多少，怎麼調聲音就會好聽」。如果遇到動態較爲複雜且聲音訊號擁有許多不可預測的走向時，透過 Link 連結後拖曳連動的 Threshold 和 Out ceiling，尋找聲音在多少 dBFS 會出現明顯的 Clipping 或是不自然的聲響，藉此找

出適合該軌聲音素材的 Threshold 點，再解除 Link，透過 Out Ceiling 來控制要改變的大小。

Release 釋放值

Limiter 的 Release 時間值是用來設定在約 1000 毫秒（1 秒鐘）時的聲音圓滑度，以控制高音頻率進入 Limiter 的反應。隨著不同廠牌的器材，可能會擁有不同數值的釋放值，而當釋放的速度非常快時，聲音聽起來較爲堅硬且具衝擊性，非常適合用在展現強而有力的 Punch 衝擊感時機。此參數與 Compressor 中的 Hard knee 和 Soft knee 非常相似。

Quantize 量化值

Quantizing 量化爲將專案檔的 Bit depth 取樣位元透過 Dithering 的方式，將高位元音訊降轉成較低的輸出取樣位元，如 8bit、12bit、16bit、20bit、24bit 時重新取樣使用，以利專案於各式平台上播放。通常擁有 Quantize 功能的 Limiter 上都會擁有 Dither、Type、Noise shaping 等功能，以供進一步更細緻的調整。

Dither 位元降轉器

　　Dither 的功用，主要是在幫助高位元數的音樂在降轉爲較低位元數音樂的過程中，能夠以不規則的雜音訊號來塡補降轉時所產生的間隙，藉此來減少因爲降轉的過程中產生的音訊失眞。因塡補的雜音訊號爲人類可聆聽到的聽覺範圍外頻率的訊號，因此此處的雜音訊號並不會對於整體聲音訊號造成破壞，更能夠有效地協助位元降轉程序。

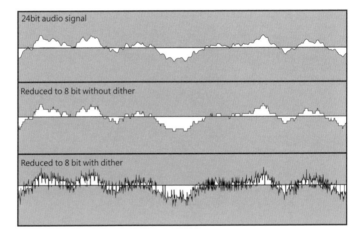

24bit audio signal

Reduced to 8 bit without dither

Reduced to 8 bit with dither

▲　Dithering 作用原理

　　以往 Dithering 技術存在於單純設計的單一 Dither 效果器中，然而，現今愈來愈多 Limiter 也會額外提供許多種類的 Dither 模式以供最終輸出設置。像是最基本的兩種選擇 Type 模式，Type 1 是特地爲沒有非線性失眞，且較爲複雜或是擁有特殊底噪所設計；Type 2 適合整體編制較爲簡單，且音樂元素較單純的聲音轉換。

　　即便在些許 Limiter 已經額外提供許多種類的 Dither 模式，仍舊有一派論調堅稱「使用 Limiter 還是必須加掛獨立的 Dither 來執行降轉 Bit dither」。原因在於這群人的想法為，單純將 Limiter 設定為一種保護機制，然後 Dithering 的問題交由後方專門處理的 Dither 來執行。

　　而關於 Dithering 的使用有個非常有趣的論調：在 Pulse-code modulation（PCM）脈衝編碼調變的 Dithering 處理上，當最終輸出為 Mp3 聲音檔時，不使用 Dither 降轉為 CD 格式的 16bit，而是直接輸出 24bit 的 Wave 音質，再轉輸出為 Mp3 聲音檔，這種方式能夠有效提升聲音音質的表現。然而，以上這兩點爭議，至今仍舊沒有固定的答案。

　　前面提到的 Pulse-code modulation（PCM）指的是一種類比訊號的數位化方式。將訊號的強度依照同樣的間距來分成段落，再用獨特的數位記號來量化。

　　值得一提的是，由 Sony 與飛利浦共通開發的 Super audio CD（SACD）採用的 Direct stream digital（DSD）技術，是透過建立於 PCM 編碼基礎上，藉由 64 倍的超倍數來執行 Noise shaping 降噪，把 PCM 以往於轉換的過程當中所有不精確的訊號所造成的噪音或失真，減少至一個位元以內的誤差。

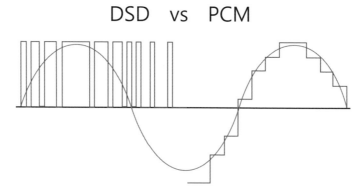

▲　DSD vs PCM

　　PCM 與 DSD 的優劣並沒有一個絕對準確與絕對正確的答案，也因為 Sony 所主打的 SACD 礙於硬體的限制，並未成功的取代當時盛行的 CD，導致彼此之間的爭議仍舊不斷。

Noise Shaping 音質質變模式

Noise shaping 意指在數位音訊雜訊降噪過程中採樣的模式與方式，通常會與 Dithering 的功能一起出現，一同為降低採樣品質的調整上提供更完美的解決方式，一般的 Noise shaping 會提供四種模式供使用者選擇：

- None 關閉：略過、不使用 Noise shapping。
- Moderate 溫和：將聲音中因為 Dithering 轉換過程產生的雜音降噪 6dB。
- Normal 一般：比 Moderate 模式再多降低 2.5dB，總共降 8.5dB。
- Ultra 強烈：最為強烈的降噪模式，總共降 10.5dB。

正因為聲音素材與面對的音樂處理方式不盡相同，在降轉設定 Quantize 時，難以直接說出 Dither 與 Noise shaping 該怎麼調整與設定。因此，除了確定的取樣位元 bit 數之外，最好還是依靠混音師的耳朵，直接執行 A/B Test 交叉比對所有模式之間的底噪變化。

Automatic Release Control（ARC）
自動釋放控制

　　Automatic release control（ARC）為自動釋放控制鈕，啟動這個按鈕的時候，如果聲音軌道數的總和較少，聲音訊號會以非常快速的反應來自動控制流入 Limiter 的速度，但當軌道數總和較多的時候（通常以約軌道 80 軌左右開始往上提升數目時），Limiter 對於訊號的反應速度就會放慢。

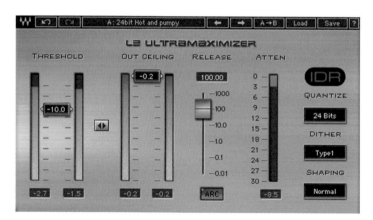

▲　Waves L2 Ultramaximizer

5.4

Expander and Noise Gate

擴展器與噪音閘門

Expander 與 Noise gate 都 是 Dynamic control 的一環。Expander 能夠用來針對聲音訊號的最小值與最大值區塊分別進行控制,將最小值進行衰減,並同步將最大值進行一定程度的放大,因此可以給予聲音一個相較於增加 Gain 值更飽滿的訊號放大處理。而

Noise gate 則是能夠依照選定的聲音頻段進行衰減動作。但是在混音工程裡,它們的使用機率相較於 Compressor 來說較少,最主要的原因是它們對於聲音訊號的影響甚大,一不小心即非常容易造成聲音訊號破壞,往往只會用在特殊任務或者目的性的操控。

▲ dbx dynamic 效果器系列

Expander 擴展器

Expander 與 Compressor 的功能剛好相反，Compressor 是對超過 Threshold 的聲音訊號進行壓縮，而 Expander 則是針對低於 Threshold 的聲音訊號進行作用。Expander 的設定參數幾乎與 Compressor 相同，當聲音訊號超越 Threshold 設定值時，Expander 會讓通過的聲音訊號變得更大。

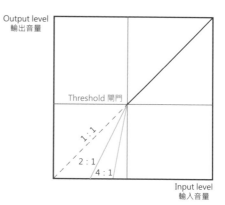

Output level
輸出音量

Threshold 閘門

1 : 1

2 : 1

4 : 1

Input level
輸入音量

▲ Expander 的作用

Upward Expander 向上擴展器

一般的 Expander 被稱爲 Downward expander 向下擴展器，也正是前面段落描述的 Expander 的類型，但還有一種較稀少的擴展器稱爲 Upward expander。

當 Ratio 設定爲 0.5:1 的時候，通過 Threshold 的聲音訊號將被強制提升。Upward expander 通常用來增強聲音的速度感與衝擊感，也能夠對於受損的動態訊號進行些微補償。以放大音訊的作用上來說，Upward expander 是非常實用的工具。

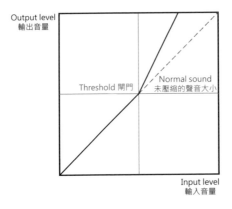

◀ Upward expander 的作用

有趣的是，使用 Upward expander 與一般的 Gain 是完全不一樣的。Upward expander 的聲音訊號提升通常較 Gain 柔軟，聲音訊號的變化呈現不會被破壞，因此，需要將音訊做局部提升時，Upward expander 通常能夠扮演更適任的角色。

在聲音處理程序中有一種非常少見的技巧稱為 Companding 擴壓法。此種擴壓法是先使用 Compressor 將聲音訊號進行壓縮，針對訊號的噪音部分進行控管，再利用 Expander 的擴展特性將噪音除外的本質訊號恢復原狀，這樣就能夠使得聲音訊號的本質放大，相對有效地去除不必要的雜音，使得聲音更集中且紮實。此種技法在混音工作中略為少見，但也造成較為稀有的效果器「Compander 壓擴器」應運而生。通常是在早期的類比盤帶系統或是 Dolby 杜比系統的 Noise reduction 降噪程序中可以看到。

▲ Fabfilter Pro G Upward expander

Noise Gate 噪音閘門

Noise gate 其實就是使用極大 Ratio 的 Expander，通常直接被簡稱為 Gate。當 Expander 的 Ratio 設定為 1:100（數值會依照不同效果器有著不一樣的參數），而使得聲音訊號成為 90 度直線時，Expander 的角色就被稱為 Noise gate。大部分 Expander 都能夠直接開啟 Noise gate 機制，直接進行噪音限制的功能。此時未通過 Threshold 的聲音訊號將會無法通過，因此在 Recording 階段或是 Live 現場演出常拿來用於噪音限制上、節奏類樂器的後製或是增加動態範圍的變化性。

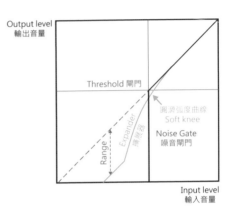

▲ Expander 和 Gate 的關係

少數的 Noise gate 在操作上，擁有像 Compressor 的 Knee 緩衝轉換機制，當使用沒有 Knee 的 Noise gate 時，聲音在經過效果器的變化是非常直接且強硬的。因此 Noise gate 的使用要非常小心，處理得不夠細緻，會造成聲音斷裂而無法彌補的悲劇，設定時，需要盡量降低 Threshold 的臨界點，再搭配 Attack 與 Release 來降低衰減量的變化速度。

◀ Digirack Expander/Gate

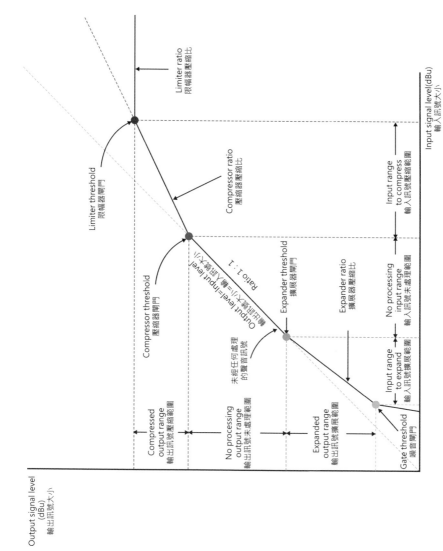

▲ Dynamic control 動態控制綜合應用圖

5.5

Dynamic
Strategies

動態控制的應用

　　動態控制一直都是混音工程中最能
看出混音師功力的關鍵。而聲音的動態
該怎麼壓縮，才能夠既保持原先的動態
範圍，又讓聲音帶勁且帶力呢？這是一
門永遠學習不完的課程。接下來特別舉
列了幾點掌握 Dynamic 的關鍵，與幾種
Compression 壓縮技法。

▲ API 225L Discrete Single Channel Compressor

如何聽見 Compression 壓縮？

混音工程的奧妙與難度就在於聲音訊號的處理沒有一定的規則，混音師需要花費極高的心力與耳力去聆聽與感受，再加上經驗累積，才能夠建構出自己的操作規則與面對不同素材的判斷力。

然而，剛踏入混音工程的音樂愛好者也不需要過於緊張，在讀完本書的前幾章節，瞭解正確的監聽環境與混音的基礎程序後，透過不同素材的練習，日積月累自然能夠掌握其中奧妙，瞭解所有調整參數之間的差異。

Compressor 一直都是在使用上最難以理解與掌控的效果器之一，以下幾種方式能夠幫助瞭解參數與參數之間的差異：

- 固定 Input gain 和 Output gain，調整 Threshold 的大小來觀察聲音訊號的前後差異。

- 固定 Input gain、Output gain 以及 Threshold，調整 Ratio 來觀察聲音訊號的變化。

- 固定 Input gain、Threshold 以及 Ratio，在這樣的設定下整體聲音訊號會因為進入 Compressor 而產生 Gain reduction 現象，使得聲音訊號明顯弱化，此時透過於調整 Output gain 來放大整體聲音訊號壓縮完畢的音量，仔細觀察最終流出 Compressor 的音訊變化。

- 所有數值都固定，單純控制 Attack 和 Release 來觀察 Compressor 啟動與釋放的速率，之於壓縮聲音訊號的影響。

- 所有數值都固定，透過於切換 Soft knee 和 Hard knee 去觀察更細微的差異。

Compressor 壓縮器與 Limiter 限幅器的差異

除了瞭解這兩款效果器的各種參數差異之外，在 Compressor 和 Limiter 的使用上，還有以下幾點要特別注意：

- Attack time 和 Release time 參數在 Compressor 中非常重要，需要多花些時間在這兩個參數上，根據不同的音樂素材調整出更貼切音樂曲風的效果。

- 處理關鍵 Threshold 時需要仔細思考，這個 Compressor 或 Limiter 放在這邊的用途為何？Compressor 和 Limiter 的使用時機完全不一樣，不能一味地開啟 Limiter 亂壓縮，千萬不能將 Limiter 當成簡單版的 Compressor 使用。

- 使用 Limiter 的過程中，很容易讓使用者誤以為音量變大以後音質也變好了，這是非常常見的錯誤與聽覺錯覺。**音量變大絕對不等於音質變好，使用 Limiter 時千萬切記！**

Parallel compression
平行並聯壓縮技法

Parallel compression 是由知名的母帶後期工程師 Boz Katz 為已經運用許久的聲音壓縮技術冠上的專業名稱，目的是透過這樣的壓縮技巧達到「極為類似」Upward compressor 的效果。

Parallel compression 是透過 Send/Return 傳送與回送的方式將聲音訊號送至另一個增設出來的 Aux track 輔助軌道，並且在該軌道設置 Downward compressor，再讓 Aux 的聲音訊號與原聲道的聲音訊號合併在一起。透過大量壓縮的聲音軌道疊加在原聲音軌道上，不但保留了較大的聲音訊號，同時增加了較小訊號的平均音量，增加整體聲音訊號的厚度與紮實感。在電吉他或爵士鼓的群組上使用，可以幫助避免只專注在某些軌道上的處理，更容易照顧到整體音訊的動態。

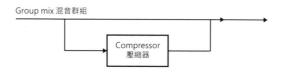

▲　Parallel compression 平行並聯壓縮技法效果配置圖

Side-Chain Compression
側鏈壓縮技法

　　Side-chain compression 是將單一聲音素材軌道透過 Send 傳送至另一個 Bus，然後將 Compressor 裡的 Key input 設置為 Bus，當作啓動額外增設的聲音素材軌道的觸發開關，來進行聲音結合的進階壓縮器技術。

　　舉例來說，對於大鼓素材的表現不夠滿意時，將素材製作一個 Send 並送至 Bus 進行額外的訊號傳送，同時在額外準備的，單純只有近似大鼓頻率的 Signal track 訊號軌道（此處所指的訊號軌道可為單一頻率訊號，抑或是 White noise 白色噪音等聲音訊號）掛上 Compressor，並將 Key input 設定為大鼓傳送的 Bus。此時 Compressor 會啓動「Side-chain 側鏈模式」，訊號軌道會以大鼓素材的訊號為觸發點，同步選擇性將 Signal track 進行壓縮並牽引原聲音軌道，增加整體聲音訊號的紮實感與力道。

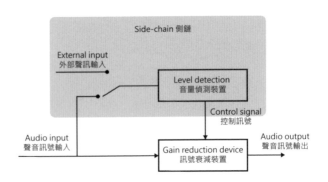

▲　Side-chain compression 側鏈壓縮技法效果配置圖

Side-chain 是一種效果器的訊號觸發技術，使用 Side-chain 來牽引主樂器與背景節奏的連動，能夠使得需要強烈節奏感的聲音更明確且更個性化。在混音中，人們常會將 Side-chain 與 Compressor 做一個直接的連結，其實不然。

Side-chain 並 非 只 能 針 對 Compressor 來使用，部分Noise gate、De-esser 齒音消除壓縮器、EQ、Filter 等，都能夠執行 Side-chain 功能，讓聲音的處理擁有更高的彈性和處理結果。如 Solid State Logic（SSL） 的 EQ and Dynamic channel strip，只要好好運用，能夠補足許多聲音不夠契合的問題，也能夠有效提升整體混音的水準。

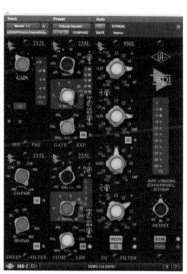

▲　UAD2, API Channel Strip

▲　SSL EQ and Dynamic channel strip

Part

3

深入混音

混音製作，又像是精心製作美味的巧克力蛋糕。
除了豐富的味覺饗宴是絕對條件，
又需要擁有能夠挑動饕客視覺的華麗呈現。

Reverberation

殘響

Reverberation 殘響（俗稱 Reverb）是透過聲波於自然界的空間反射所形成的聲音重疊與混合現象，這樣的效果常讓人感受到聲音明顯的改變。例如：KTV 中的 Echo 回音效果，能夠為麥克風發出的聲音加上許多回音效果，使人聲被回音效果渲染，因此許多人稱 Reverb 為 Echo。然而，較為正確的說法應該是：Reverb 是構成 Echo 的一環，且 Echo 不僅僅只有 Reverb，還包含了 Delay 延遲的元素。而這些能夠影響時間與空間的效果器，統稱為時間與空間效果器。

6.1
Reverb
殘響

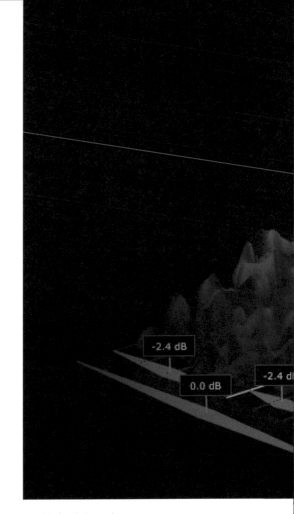

▲　Hofa IQ Reverb

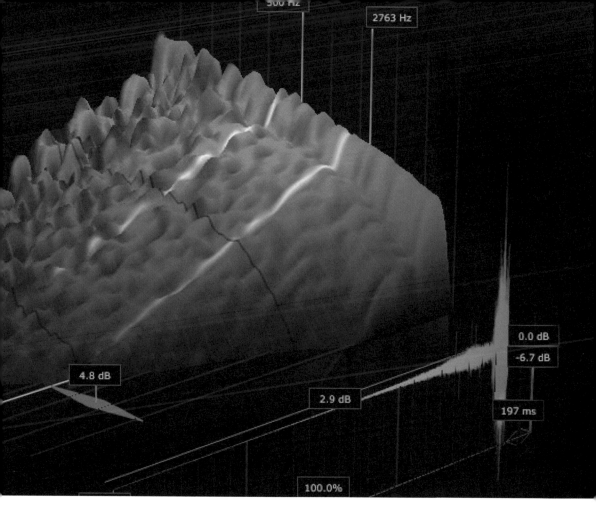

　在混音工程中，Reverb 除了能夠為未經處理的聲音素材賦予不同空間、環境、場所等的聲音表現，還能夠將聲音重新詮釋出與眾不同、獨一無二的效果，以取得較佳的歌曲 Balance 平衡定位。而透過 Reverb 來填補時間上的空隙，也較能促進樂器與樂器之間的融合。這些功能使得 Reverb 在混音工程中，除了擔任增助聲音美化的角色之外，更擔任了整體聲音與聲音之間的黏著劑。

　除此之外，由於人們對於聲音在不同空間環境的認知，可以透過 Reverb 來重新為聲音塑形，使得聲音的感染力與情緒更能渲染聽眾的思想與心理。混音師可以透過調整 EQ 均衡器，幫聲音增添更多的個性與色彩，或是透過 Compressor 壓縮器為聲音增加更多的動態，Reverb 堪稱混音工程中最棒的聲音魔術師。

Sound source 音源

Listener 聆聽者

▲ 在生活環境中，聲音經過了千百萬次的反射交錯再交錯，
才造成了人耳聽到的「聲音」

在整個聲音工程中，包含了音樂製作、音效設計與配樂製作，以及本書的主題混音工程，Reverb 主要扮演的幾個關鍵角色如下：

● 給予聲音更棒、更正確的聲音特性。

● 重新塑造一個虛擬的空間與位置，以利模擬自然環境的空間感，再創造出虛擬的聲場環境。

● 增加整體音訊的深度、強化聲音的個性與情緒。

● 作為聲音與聲音的橋樑，使聲音之間更能夠緊密地結合。

● 修飾聲音的化粧術，區隔聲音與聲音之間的差異性、填補時間上的空隙、改變樂器本身的音色。

Lee DeCarlo，1970 年代時為 LA's
Record Plant 錄音室著名的聲音工
程師，Aerosmith、John Lennon、
Zakk Wylde、Black Sabbath、
Kenny Loggins 等國際巨星都曾與
他合作。

　　美國知名的聲音工程師 Lee DeCarlo 在《The Mixing Engineer's Handbook》一書中，對於 Reverb 提出了自己的看法：**"Effects are makeup. It's cosmetic surgery. I can take a very great song by a very great band and mix it with no effects on it at all and it'll sound good, and I can take the same song and mix it with effects and it'll sound fucking fantastic! "**

　　「效果器是聲音的化粧品，也是整容手術。當我在處理一首非常棒的曲子時，即便它本身沒有任何的效果，但它聽起來是很棒的；然而當我為那首曲子加上效果器再處理一次時，我跟你說，它聽起來簡直棒呆了！」

6.2
Reverb
Parameters

殘響參數

聲音會經由牆面不同的吸收與反射模式，再被聆聽者接收。當聲音製造時間與反射時間的差距愈大，Reverb 的效果會更容易被察覺。正因為不同的回音效果，人們便能透過對於回音的認知、感知與所處空間環境相連結。舉例來說，閉上雙眼，人的雙耳仍舊可藉由拍手的回音來辨識身處在教堂或房間。殘響效果器，正是能夠幫忙混音師在後製階段為聲音加上色彩的工具。

▲ 在廁所唱歌聽起來比較好聽，是因為廁所空間產生的回音所致

Direct Sound 直達聲

　　Direct sound 為發聲體直接傳到耳朵裡最原始的聲音。Direct sound 並不是回音組成的原因，只是在現實空間中，人耳所聽到的聲音其實是綜合了最原先的直達聲與後續產生的諸多回音。

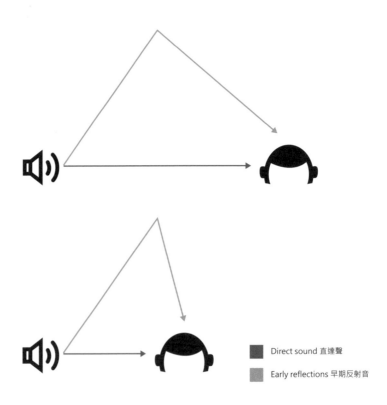

Direct sound 直達聲

Early reflections 早期反射音

▲　Direct sound 和 Early reflections

Early Reflections 早期反射音

Early reflections 是 Reverb 效果器裡最初期會被聽見的反射聲音,在效果器的使用上往往簡稱為 ERs。在聆聽上它比 Direct sound 再慢一些,是發聲體發出的聲音打到反射物時初期反彈回來的回音,因為這樣的反射動作會造成聲音的部分能量被反射體吸收,因此 Early reflections 聽起來都會較 Direct sound 混濁不清。

Late Reflections 晚期反射音

構成回音的要件之一,是由成千上萬的反射回音所組成。通常初期反射的回音還可以依稀聽出這些聲音的內容,但當聲音經過了第二道、第三道⋯⋯至無數次的反射音時,因為經過了無數次的損耗與消退,已經聽不太清楚了,這些回音的尾巴稱為 Late reflections。

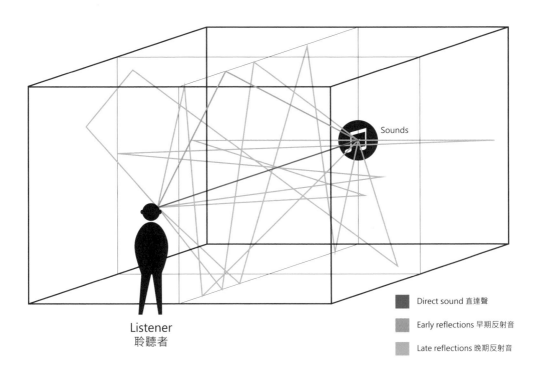

Sounds

Listener
聆聽者

Direct sound 直達聲

Early reflections 早期反射音

Late reflections 晚期反射音

▲ 空間中千變萬化的聲音反射

Pre-Delay 預先延遲

Pre-delay 指的是當人耳聽到直達聲後，直達聲與 Early reflections 早期反射音的時間間隔。換句話說，Pre-delay 決定了最初始的反射聲音與 Reverb 效果器啟動後，直達聲接連 Early reflections 之前的時間差。Pre-delay 的數值愈大，代表身處的空間愈大，就好比身處大教堂或者穿堂時，聲音需要更多的時間反射回來。

一個數值較大的 Pre-delay 參數，可以有效將主要聲音與 Reverb 聲音拆開來，製造出聲音與聲音之間的層次，對於避免頻率打架的拆解有著一定程度的功效。若將 Pre-delay 用於樂器的位置擺放，就像是在描繪整個音場的前後方向，是主唱和主樂器的 Balance 定位處理上滿好用的小工具。

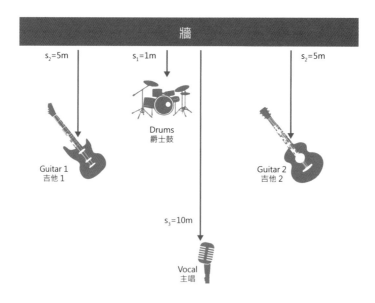

▲ Pre-delay 距離對於聲音位置的影響

Decay 衰減值（Reverberation Time 殘響時間值）

Decay time 是用來調整 Reflections 至完全消失的時間，也就是整體回音的衰減時間值。在某些描述 Reverb 的情況下，有些人也會將 Decay 描述成更直白的意思—Reverberation time 殘響時間值。Decay 是控制整個聲音經過 Reverb 效果器，使其能夠明顯聽出「回音」的關鍵參數，與 Early reflections 一樣，它最常用來告訴聆聽者模擬出來的空間有多大、聲音經過了 Decay 處理後改變有多大。然而，過長的 Decay 容易讓聲音聽起來太過混濁與黏膩，使用上需要特別注意與小心。

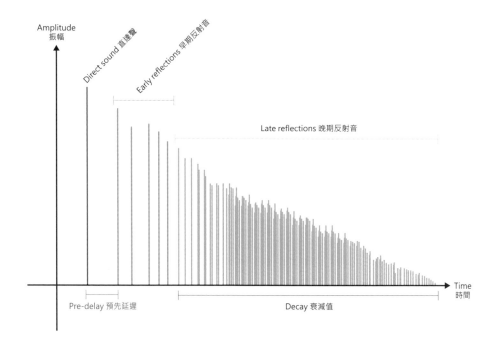

▲ Reverb chart 殘響圖

Room / Size 空間大小

　　一些效果器的 Pre-set 預設值裡會直接將 Room 空間大小的參數獨立出來供選擇，也會直接顯示出 Size 空間大小。在 Room 的參數設定上，數值愈小，對於回音的產生較為微小，相反的，數值愈大，建造出來的回音就愈大。事實上，Room 同步結合了許多參數上的調整，像是最主要的 Decay 與 Early reflections 等，還有其他參數進行同步處理的效果，進而直接模擬出空間的大小尺寸，它提供了使用者更直覺地改變 Reverb 參數的調整。

Density 密度

　　在更細節的參數設定上還可以看到 Density 的調整，Density 指的是聲音反射時的材質占比成分。增加密度可以使得聲音更加渾厚與結實，能夠有效減少音色上的失真；反之，較低的密度使得聲音聽起來較為鬆散與澎湃。一般來說，設置打擊類樂器的 Reverb 時，較低的密度會使節奏類樂器出現「金屬的顫動」聲音，若是選擇較高的密度，能夠得到極為自然的 Reverb；然而，若是適當的將低密度使用在和聲，卻又可以保有和聲在背景裡原先的清晰度，與模糊的背景聲的交集感。

Width 寬度

　　較少 Reverb 的設定會擁有 Width 這個參數選項，此參數可以決定回音要定位在中央或向左右延展，此種效果也能夠透過 Aux track 輔助軌道的 Send 傳送設定來達成。

Shape 型體

　　在部分 Reverb 的參數中，Decay 的衰減方式還提供了更多元的調整方法，像是增設了 Shape，它可以用來處理 Decay 的衰減曲線，使得衰減區塊更有特色。

Mix or Wet / Dry 乾溼度混合

　　這個參數功能幾乎會出現在所有的 Reverb 效果器上，主要是用來調整經過 Reverb 效果器後與原先聲音的乾度比例與溼度比例。換句話說，透過 Mix 混合，混音師能夠自行選擇調整過的聲音與原始聲音的混合比例，使聲音的效果處理更加自然。

Diffusion 擴散

Diffusion 決定了原始聲音在反射後增加密度的速率。如果回音的聲音表現是非常清晰的狀況,通常代表反射的牆面是固體、規則且平坦的。如果取得的是混濁且不太明顯的回音,反射牆面往往是不規則的表面。Diffusion 可以用來決定聲音分散的狀況,並模擬不同材質與不規則形狀的反射材質影響聲音反射的情況。

舉例來說,磚牆與金屬面板相比,擁有較高的擴散性;非常雜亂或是經過特殊隔音設計的牆面,也比簡單的立方體空間擁有更好的擴散性。與大型的演奏廳相比,平坦光滑的空間通常擁有較低的擴散率,這也是音樂廳會使用複雜的牆面構造與柱子,以及錄音室為了避免高音亂竄而在裝潢設計上加裝擴散板的最主要原因。通常而言,調整 Diffusion 參數時需要考慮與 Density 之間的搭配,來決定聲音的清晰與模糊。

▲ 裝置擴散板的琴房

6.3

Types of Reverb

殘響的種類

　　一樣都是 Reverb，透過不同的方式或環境產生的回音效果是截然不同的。其中包括直接改變聆聽者所處環境造成的回音效果，也有透過將聲音引導至實體介質上產生的回音效果，也有在數位系統上的虛擬運算與採樣運算殘響。

Analog Reverb 人工殘響器

　　Analog reverb 通常是由「眞實空間」或「眞實器材」營造出的不同反射條件、傳導條件，進而對聲音造成不同的殘響。舉例來說，國家音樂廳經過特殊設計的回音、廁所裡光亮地板的回音、教堂裡空曠莊嚴的回音、使用固體介質彈簧或是金屬等方式製造出來的回音效果。

Chamber Room 殘響室

　　使用 Chamber room 通常可以得到最近乎理想的回音，因爲這些都是依照眞實房間量身打造出來的空間。一般來說，小房間的反射與吸收都會較大房間差，因此，小型 Chamber room 有時候反而會造成聲音的過度渲染而不好控制，但大型 Chamber room 卻因爲造價極爲昂貴，且不易尋得適合建構 Chamber room 的地點。還有許多特殊的空間環境，像是「零回音」的 Anechoic chamber（Non-echoing room）無響室，正因爲獨特的隔音設計，讓回音效果趨近於零，常在探討回音時被拿出來討論。

▲　（上圖）大型 Chamber room 中懸掛高度、角度不一的吊板，透過改變板子的高度與角度，能夠製造出不一樣的回音

　　（下圖）可以透過擋板來製造出各種形狀的空間，以利於在小型空間中營造出不同的回音感受，這是很省錢的做法

Spring Reverb 彈簧殘響器

Spring reverb 顧名思義就是透過將聲音傳導到彈簧上，並透過彈簧的震動來製造出聲音的回音。Spring reverb 是世界上最早被發明出來的人工回音加強裝置。1939年電子管風琴的熱門與盛行，Bell Laboratories 貝爾實驗室技師希望能夠改進管風琴的聲響系統，進而研發出實體殘響效果器。

Spring reverb 運作的方式很簡單，將聲音訊號傳導至介質（在此是彈簧）上，透過於介質的震動或彈動，對於聲音的本質產生改變，再將這個震動中的聲音訊號於另一個出口傳送出去，聲音聽起來自然就有因彈簧震動而產生的聲響了。

Spring reverb 被廣泛地使用在電吉他音箱、小鼓或是管風琴樂器上。通常對於這類的聲音能夠給予非常直接且紮實的回音音效，但它略不擅於模擬出一個空間環境，也不太適合處理鋼琴或是弦樂樂器，因為通常會讓聲音聽起來過於僵硬且重疊性過高的混濁。

▲ Spring reverb

▲ AKG BX20 Spring reverb

Plate Reverb 隔板殘響器

Plate reverb 與 Spring reverb 是以相同原理構成的回音系統。Spring reverb 的介質是透過彈簧的震動來傳導出彈簧的回音，而 Plate reverb 是透過金屬片的震動傳導出回音。

兩者在回音的產生上極為相似，其差別只在於 Spring reverb 的傳導方向是有限制的，無法像 Plate reverb 一樣四通八達。相比之下，較多廠商願意研發更多由 Plate reverb 概念所延伸出來的殘響效果器。相較於 Spring reverb，它能夠依照不同材質的金屬片擁有更多的回音細節，聲音品質也高出許多，但調整的困難度也較高。Plate reverb 與 Spring reverb 在聲音的表現上都是為了模擬純人工製作出來的殘響效果器，因此非常適合處理電吉他或是 Synth 合成器等由電子樂器所觸發的聲音。

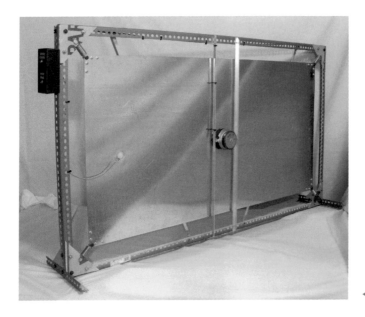

◀ Plate reverb

◀ Universal audio
EMT 140

Digital Reverb 數位殘響器

在現今這個數位化時代，已經不需要每一次錄音都像前面那幾種方式，大費周章的在「人工製造回音」上，費時又費力。透過 DAW 數位音訊工作站中的 Digital reverb plug-ins 數位殘響效果器，可以輕易為聲音套用許多經過計算的數位回音，甚至是許多空間環境的模擬，既快速又方便，且變化與彈性極大，還能夠針對不同情況或曲風來做更多細節的調整與處理。

Algorithmic Reverb 運算式殘響器

Algorithmic reverb 又稱為 Synthetic reverb 人工殘響器，是透過電腦運算來模擬出聲音的回音效果。現今 Digital reverb 的運算核心最主要分為兩類：第一種是透過電腦 CPU 中央處理器來當做核心的 Plug-in；第二種是使用獨立的 DSP 數位訊號處理器晶片來做為運算核心的 DSP plug-in。

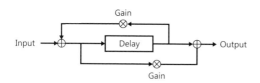

◀ 1961 年 Manfred Schroeder 於 Bell Laboratories 貝爾實驗室所發布的 Digital reverb 效果配置圖。這是最初的配置構想，但到實際應用階段又經過不少的調整與修改

Central processing unit 中央處理器簡稱 CPU，是所有電腦系統的心臟，用來解釋指令與運算所有電腦中的資料。Digital signal processor 數位訊號處理器簡稱為 DSP，是一種專用於數位訊號處理的微處理器。

即便在電腦已蓬勃發展的今天，在某些效果器的運算上，電腦核心 CPU 的運算能力仍舊遠不及獨立 DSP 的十分之一。在使用像是時間與空間這類非常吃電腦資源的效果器時，CPU 常會出現無法負擔的情況，此時容易造成混音工作的中斷，同時容易造成專案檔的崩解。因此，雖然 DSP 極為昂貴，卻也是大型錄音室必備的設備。

Algorithmic reverb 不像人工製造回音
那樣有實體或是機械上的限制，因此可
以輕鬆地透過軟體來調整諸多細節與參
數，富變化性且極爲靈活，用途也非常
廣泛且方便。現今所有的 DAW 幾乎都把
Algorithmic reverb 列爲原生效果器，安裝
系統時也會連帶安裝。

然而，眞實空間環境中的回音是經
過成千上萬的聲音反射與吸收，不同的
頻率按照不同的方式傳播與擴散，再加
上不同的材質還會影響聲音的擴散與吸
收，可見回音是複雜無比的。因此，雖然
Algorithmic reverb 的功能強大，但還是沒
有辦法運算出跟眞實空間環境完全相同的
回音效果。

▶　Avid D-Verb

Convolution Reverb 採樣殘響器

隨著音樂科技的演進，早期的 MIDI 製作可以將樂器的聲音採樣起來，然後將它以數位化的方式重新演算與演奏，藉此得到更爲眞實的樂器採樣聲。隨著 DSP 晶片技術發展，愈來愈多人在時間與空間效果器的運算上投入「回音採樣」的實驗，聲音在不同空間環境對於不同牆面的反射情況，透過採樣技巧被寫實地記錄在 Convolution reverb 中，更能夠隨時隨地模擬出絕佳的回音效果。

Convolution reverb 的製作過程，爲聲音工程師帶著麥克風與喇叭等器材，於各式環境的現場，依照比例測量與採樣每一個定點聲響的回音狀況，依照該聲響的無回音聲音波形，以及各式環境的現場中產生的波形差異性來重複運算，再透過數位化的方式來重新演算回音採樣值。

如今的回音採樣技術已經相當成熟，只要開啓 Convolution reverb 的效果器，即便在錄音室裡，仍舊可以坐擁世界各大知名場所的回音。而 Convolution reverb 亦爲現今 Digital reverb 當中最強大、最自然但也最占資源的回音效果器。

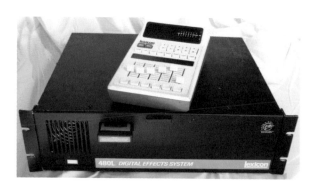

◀ Lexicon 480L，雖然是 1986 年的老機子，但是它在殘響效果器中堪稱經典，至今還是可以在各大錄音室見到它的蹤影

◀ Altiverb 7 XL convolution reverb

▲ 1998 年知名的效果器公司 Lexicon PCM91 的效果配置圖，此時的 Reverb 設計圖已經遠比 1961 年 Manfred Schroeder 的設計圖複雜許多

Reverse Reverb 反轉回音

反轉回音就是將聲音進行 180 度前後反轉，使其產生一個一模一樣但卻是 180 度水平相反的聲音。這樣的做法會造成聲音本身的 Attack 與 Release 產生完全相反的效果。舉例來說，在一般情況下，一個鋼琴單音的聲音，擁有極為快速的 Attack 與非常長的 Release，透過反轉的效果，將鋼琴單音進行 180 度前後翻轉，此時聲音本身將會得到一個非常慢的 Attack 和非常快的 Decay 與 Release 效果。

一般情況來說，回音是會逐漸衰減的，因此整個回音公式中，在聲音播送之後並不會有任何的聲音大過於原先的 Direct sound。依照鋼琴單音的例子來說，當使用了 Reverse reverb 的效果，會造成聲音是由非常小的訊號開始逐漸增加，最後產生最大聲的聲音最大值後瞬間消失。Reverse reverb 較少拿來模擬空間環境的重現，往往拿來製造出較獨特的聲音效果或者是 Cinematic 電影音效的轉場效果。

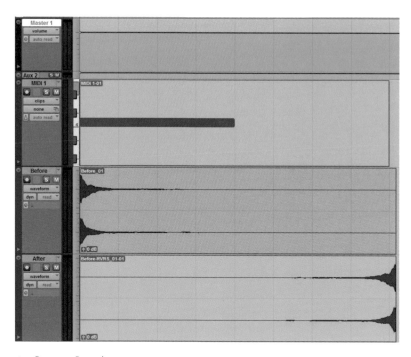

▲　Reverse Reverb

6.4

Reverb
Strategies

殘響的應用

Reverb 可以模擬並開展出空間的寬敞感和立體感，並藉由各種回音的效果來達成其獨特性。相信這些特色在閱讀至此，已經大致有點頭緒了。然而，瞭解並善用 Reverb 的種類、使用方式與注意事項，不但能夠使聲音聽起來更加有趣與具有個性，也能夠讓整體混音的製作更加強大！

▶ Universal Audio Bundles

氛圍式的 Reverb 殘響非空間式的 Reverb 殘響

觀察近二十年來的混音風格，Reverb 的使用已經開始由空間的建構逐漸轉型成爲更具有任務性的展現企圖工具，愈來愈多混音師喜歡在歌曲內營造出 Reverb 非 Reverb 的聲音效果。現今的混音作品當中，常可聽見回音效果有著極爲明顯的 Early reflections，透過此能夠給予聲音一個如同原始素材般漂亮的自然空間，卻又沒有太多 Late reflections 模糊了聲音的清晰度，且在 Decay 的設定上極爲短暫，沒有太多回音的尾巴，因此製造出來的回音絲毫不拖泥帶水。

這樣的設定下，回音效果更能夠呈現出一種「氛圍式」的回音，不同於一般大衆所認知的回音效果，那些混濁與黏膩感，進而影響到聽覺感受，好像所有的唱片聽起來都如同卡啦 OK 機一般。此種聲音效果適合 Attack 特別快的瞬間動態，像是節奏類樂器、Rap 的人聲、具備打擊特徵的樂器等，透過沒有尾巴的 Reverb，給予聲音更響亮且保有原始聲音的特性。

善用 EQ 均衡器

在流行或搖滾等曲風中，低音頻率往往爲整首曲子的主要能量來源。然而，在 Reverb 的使用上，常會發生不小心讓回音模糊了低頻的情況。此時若能夠在 Reverb 效果器之後的順序上，額外增加一個 EQ 來控管經由 Reverb 後產生的不安定聲響，對於這些因爲 Reverb 而模糊了的聲音做 Low cut 低頻率衰減（約 150-200Hz），或是在最終的 Sub group 附屬子群組上處理 EQ，都是解決這個問題的好方法。

有些效果器廠商會在 Reverb 中設置 Frequency damping 頻率衰減的額外參數設定。而視情況調整 Low-frequency damping 低音頻率衰減，也能夠達成同樣的效果。注意這些小細節可以避免發生辛苦調整完的 Reverb 參數不小心毀了整首作品的情況，也可以在聲音細節上有很棒的加分。

　　在調整 Reverb 的過程中，防範 Reverb 製造出來的高音太過刺耳是必要的動作。除了 Low-frequency damping 的部分來針對低音頻率的控制與調節，些許的 Reverb 還會附帶 High-frequency damping 高頻率衰減旋鈕來進行高音頻率的衰減，幫忙 Reverb 效果更加契合整體軌道的聲音表現。

讓 Pre-Delay 預先延遲扮演關鍵角色

　　在混音工程的 Balance 裡，常希望將主軸樂器放置在整體的最前方，但使用 Reverb 效果卻又容易使得主軸樂器被其他樂器壓過去，此時 Pre-delay 的角色就非常重要了。一個較長的 Pre-delay（65-155ms）能夠拆解原始聲音與 Reverb 製造出來的回音，透過這種方式，聲音就能夠維持在整體位置的前方，卻仍舊擁有 Reverb 製造的氛圍，有點類似先前所提及的 Reverb 非 Reverb 的效果。

　　此種技巧常拿來處理較重的電吉他 Power chord 強力和弦，在 Power chord 的 Compressor 的 Attack 會調整的非常快速，以營造出電吉他較暴力的聲音，給予搖滾或重金屬音樂更有力的勁道。這時候，為了防止電吉他的力道弱化，將 Pre-delay 數值拉大，使得原始和弦音與 Reverb 和弦的出現時間有所間隔，是增加電吉他 Power chord 空間感的小技巧。

　　時間與空間效果器的處理還有很多可以探討的地方，但依照素材進行調整，而非固定不變的做法才是唯一的不敗法則。

Mono 單聲道或 Stereo 立體聲的 Reverb 殘響？

在混音上，使用 Reverb 來尋求更寬廣的 Stereo image 立體聲圖像是必然的階段。有些 Stereo reverb 立體聲效果器會使得單聲道聲音訊號強制轉換為立體聲模式，此點需要特別注意，才不會因為一時的疏忽影響到後頭其他的混音動作。

Mono 的 Reverb 在使用上訣竅非常多，像是將 Reverb 設置於與原先素材不同的 Pan position 位置定位，此時的 Reverb 可以執行補足左右頻率的動作，同時也會將聲音音場製造得更加寬闊。另外，將原先素材與 Reverb 放置在同一邊，能夠讓聲音表現更加集中。兩者做法各有優缺點，因此在思考 Mono reverb 的 Panning 定位時最好有所規劃，而非盲目擺放。

100% 極端的 Reverb panning 效果，對於最終歌曲 Stereo 和 Mono 的聆聽有著極大差異，除了寬廣的空間效果顯現不出來之外，還可能會破壞掉整體歌曲的 Balance。

避免這種情況的方式，就是降低 Reverb stereo width 立體聲寬度，或是盡量使用放置 Centre 中央的效果。此外，如果於製作階段就得知作品最終的播放環境是 Mono 聆聽族群居多，像是電台廣播的廣告插曲，混音時就需要更詳細地檢查 Effects 效果於 Stereo 和 Mono 的兼容性。

Automation 自動化控制與 Reverb 殘響的應用

為了避免過於單調的 Reverb 表現，適時搭配其他技法的應用都能讓 Reverb 更加活潑，而 Automation 就是一個非常好的方式。

舉例來說，除了原先需要被增加回音的聲音軌道之外，額外搭配三軌 Aux track，並分別設定位置為 Left 左、Centre 中央、Right 右。此時在左右聲道的 Aux track 設置同一台 Reverb 效果器，而 Centre 特別選擇

不一樣的 Reverb 效果器，藉此將 Reverb 的層次加以區隔，並在歌曲進行的同時，搭配 Automation 來對 Aux track 做變化。

當歌曲在主歌時，主唱的回音主要來自 Centre 的 Aux track reverb，而左右聲道的 Aux track reverb 處於幾乎未開啟狀態；進行到副歌時，Centre 的 Aux track reverb 隨著 Automation 的設定而逐漸縮小，同時將左右聲道的 Aux track reverb 慢慢送出，如此一來，在 Reverb 的表現上會擁有更多層次。

與眾不同的 Reverb 殘響

視情況在 Reverb 前放置一個小小的 Chorus 和聲或是 Flanger 迴旋效果，會讓回音聽起來更活潑且有層次，而且不會影響到原始素材的本質。在近五年的亞洲流行音樂裡，常聽到這種層次的回音效果喔！更多關於 Chorus 與 Flanger 在 Chapter 8 中將有更深入的介紹。

避免過度使用 Reverb 殘響

時間與空間效果器的使用就如同 Compressor 一樣，是個會致命的毒蘋果。過量 Reverb 的使用會產生許多問題，像是清晰度變差、聲音混亂、過度改變音色、產生相位問題、時間問題等。因此，盡量不要讓每軌聲音都有 Reverb，或者嘗試在開啟 Reverb 效果器前，致力於無效果器狀況而完成的 Balance。若是在混音中，盡量保留部分不使用效果的軌道，就更能夠表現出 Stereo image 的規劃與安排。

最後，在使用任何效果器時，還是需要不斷地切換並聆聽與所有軌道並行播放時的聽覺感受，不能夠盲目調整單一軌道的任何聲響，卻忽略了整體搭配。

Chapter

7 | Delay

延遲

時間與空間效果器最主要的功能，就是將聲音的時間
與空間進行二次修改，使其產生與眾不同的聲音特
色。在眾多效果器中，最具代表性的就是前面提到的
Reverb 殘響效果、Delay 效果與 Chapter 8 會提及的些
許延伸效果器。Delay 效果器顧名思義，最基本的功能
就是將聲音訊號透過效果器的參數設定進行延遲，藉
此達到各種聲音效果的模擬。

7.1
Delay

延遲

▲　Effects knob 效果器的旋鈕

在混音工程中，適時使用 Delay 效果器可以幫助聲音更加緊緻、改變聲音原先的形狀、修正聲音傳播的速率與範圍、增加整體 Sound image 聲音圖像的 Stereo 立體聲空間感與深度應用、創造出獨一無二的音色、製造出聲音與聲音之間的定位差異距離、填補時間的間隙等，在模擬聲音定位的表現上，甚至能夠給予聽眾聲音「直衝面前」般的感受。

有趣的是，中文的「延遲」兩字在混音工程中，除了指 Delay 延遲效果之外，還可以代表其他的意思，像是 Audio latency 聲音訊號延遲、Audio effects 聲音效果的延遲。這也是在學習混音工程中使用中文的盲點，許多同字但卻不同義的翻譯，在工作時可能產生溝通的落差，因此需要再三確認與英文專有名詞之間的對照。

Audio latency 指的是聲音訊號進出不同的聲音系統前與後的時間差。對數位時代的混音工作來說，Audio latency 是個最需要被注意，但卻往往最容易被忽略的問題之一。在一般沒有銜接專為低延遲所設計的錄音介面上，電腦自身的類比數位轉換的延遲時間幾乎是無法進行數位音樂錄放音工作的。

造成 Audio latency 有很多原因，可能是電腦 Buffer 緩衝值設定、數位訊號的編解碼運算時間差、類比與數位系統之間的轉換時間差、太多效果器運算的時間差、播放延遲、聲音在介質中傳遞的時間差等。

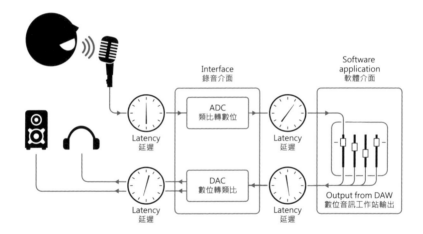

▲ Audio latency

由德國 Steinberg 研發的 Audio Stream Input/Output（ASIO）音訊串流輸入與輸出虛擬裝置介面，正是為了協助尚未擁有實體錄音介面的電腦，更能夠以較低延遲且高傳真的方式，搭起電腦內建音效卡與 DAW 數位音訊工作站的軟體驅動程式。不過，在進行聲音工程裡，避免 Audio latency 狀況發生的最根本方式，仍舊為提升硬體器材的等級與加強瞭解整體工作 Signal flow 訊號流程的連接狀況，藉此避免過多非必要性的串接，導致產生時間延遲。

時間空間的補償

　　當身處非常大的演唱會現場，第一排與最後一排觀眾聽到聲音的時間，因為空間距離的原因，對於聲音時間上的聆聽絕對不一樣。透過 Delay 效果器的時間空間補償，能夠有效減少因空間所製造出的距離感，而減少延遲現象對於聆聽的差異性。

　　此外，混音時，透過 Delay 的使用也能夠增加空間感與 Sound image，或是改變單一聲音本身的深度。經過特殊計算的時間延遲數值，能夠在聲音演奏停止時，靠 Delay 訊號填滿接下來的空檔，當主軸聲音再度進場，上一次的延遲訊號能夠馬上停止並消失，讓音樂毫無縫隙，完美填充。

在立體聲中製造與補償

　　當在聆聽的 Sound image 中，有某樣樂器被單獨置於音場的某一邊，此時若是另一邊沒有相對頻率的樂器互補，難免會造成頻率上的聲音空洞。人類的聽覺系統內耳控管了身體平衡的機制，當頻率空洞的狀況產生，除了可能導致人類對於歌曲的傳感產生不適，更可能會導致暈眩的情況。然而，透過將原始

的聲音訊號送進 Delay 效果器後，將它分配到另一邊的相對位置上，便能夠達成兩耳頻率相近且同步的感受。

　　舉例來說，處理混音時，若是將某一支麥克風的聲音訊號透過 Delay 效果器分配到相對位置上，就可以創造出「假立體聲」的收音效果，藉此打開聲音音場的寬廣度。此時在後續的處理上，再加上 EQ 均衡器的濾波器處理，能夠讓聲音的「毛邊」與「髒髒」的部分聽起來較明顯。相反的，當原始聲音的「毛邊」過度干擾音樂的進行時，適時的使用 Delay 效果器也可以減去與優化「毛邊」聲音。

讓聲音更大、更粗、更寬廣

　　為了擴展單一樂器的深度或是氛圍，使用空間效果器是必須的也非常方便的。舉例來說，處理電吉他時，為了增加 Power chord 強力和弦的深度與厚度，不會讓 Delay 時間太長，但又不會短到受到 Comb effect 梳狀效應的影響，以製造出更大、更粗的聲音效果，這也是電吉他效果喜歡使用 Delay 效果大過 Reverb 效果的原因。

7.2
Delay
Parameters

延遲參數

Delay 的調整上不外乎幾個參數：
Input gain 輸入增益、Output gain 輸出增
益、L-delay 左側延遲、R-delay 右側延
遲、Mix 混合、High cut 高頻率衰減、
Low cut 低頻率衰減、Feedback 回授、
Tempo time/Notes mode 節拍時間、Meter
音量儀表、Groove 律動、Depth 深度、
Delay time 延遲時間、Rate 比率等。

除了 Delay time 之外，大多是空間
的營造與頻率的調整。而時間與空間效
果器的參數調整上大同小異，花時間掌
握各自的使用時機，也是需要仔細研究
的課題，接下來就介紹幾個較為重要的
參數。

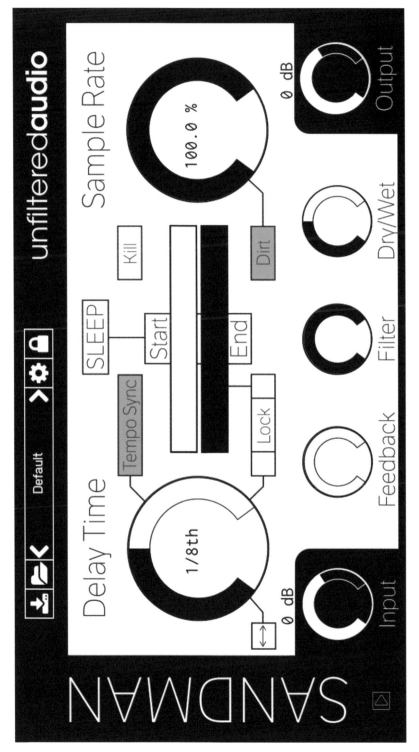

▲ Unfiltered Audio Sandman Delay

Feedback 回授

正常情況下，人們容易把一個製造出來的 Delay 聲音，再加上最原始的聲音，能夠很明顯感受到俗稱的回音。Feedback 正是可以在時間與空間效果器上打破這個遊戲規則，進而模擬出空間反射的參數。常用來幫助聲音訊號產生循環性的回音，透過不斷反射的效果，當持續的時間夠長，就會成為一般俗稱的 Echo 回音效果。

一般未特別調整的 Delay 效果器，每一次回聲的衰減音量倍數有跡可循。

假設原始聲音是 0dB，此後每一次 Delay 效果的 Feedback 音量將會以 6dB 為倍數進行衰減，因此，每一次 Feedback 製造出來的回音就會變成 -6dB、-12dB、-18dB、-24dB 以此類推，直到聲音消失不見。這是一般 Feedback 預設的狀況，但是此情況在某些效果器廠牌上是可以透過改變參數來打破的。

若將 Feedback 設定成 100%，就會擁有不存在於這世界上的自然物理反應—完全不會衰減也不會消失的 Feedback

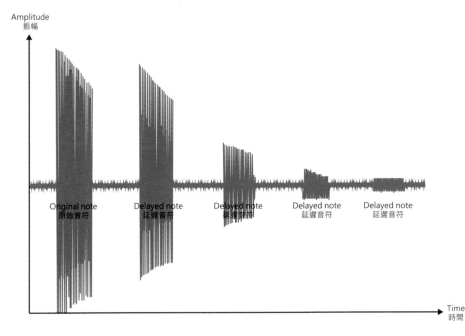

▲ Digital delay line 數位延遲訊號

echo。在某些電子音樂或是音效設計上，常會使用這些不存在這世界上的聲音，進而製造出夠獨特的聽覺音效。適當地搭配調整 Feedback、Delay time、Decay 衰減值與 Depth，是調整出漂亮聲音或是充滿創意的 Delay 聲音的關鍵。在 Delay 的應用上，也能夠透過這些參數設定，延伸出更多 Modulation delay 調變式延遲的效果，相關內容在 Chapter 8 中將會有更深入的介紹。

Delay Time 延遲時間

原始聲音訊號與第一道 Delay 效果器製造出來的延遲訊號距離。

Depth 深度

透過 Depth 可以決定延遲訊號的偏移程度與深度，藉此增加聲音的自然感。

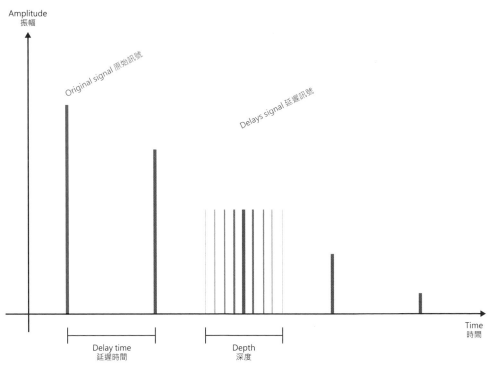

▲ Delay 參數關係圖

7.3

Delay
Calculation

延遲的計算

▲ Roland RE-201 Space Echo

適當的 Delay 能夠讓整體音樂的表現更為突出，適時為原先的聲音增加更出色、更多層次的音色，並有效填補時間上的間隙。然而，時間數值的計算，之於 Delay 的使用有著密不可分的關鍵。如何更精準的計算出需要的 Delay，除了能夠保持整體聲音訊號的加分作用，更能夠有效避免延遲效果的濫用。

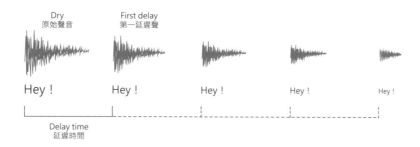

▲ 可被計算的 Delay 數值

Delay Times 延遲時間值

Delay 與單純將時間延長的區別在於，人耳能夠聽出與分辨 Delay 產生出來的回音效果。因此，時間計算是使用 Delay 效果器重要的動作，才不會造成 Delay 製造出來的回音與原始聲音頻率衝突，連帶產生相位問題。

0~20ms

0~20ms 對於聲音訊號的效果俗稱 Double 疊加。如此短的 Delay，容易造成訊號與新的聲音效果混合在一起，而產生 Comb effect。在混音工程中此區塊被稱為 Gray area 灰色地帶，常造成 Phase 相位相抵的問題，需要特別注意。而當延遲時間值於臨界值 20ms 或略為超越時，此時的聲音效果又會因為疊加的關係產生全新的聲音，常被用來改變樂器的音色。如果此時再將聲音訊號特別拆開或模擬成兩道訊號，並放置於極左或極右同步播放，即會造成所謂的 Hass effect 哈斯效應。

20~60ms

此 Delay time 的長度對於聲音訊號有 Thickening 增厚的效果，使得聲音聽起來有點類似 Chorus 和聲。

60~100ms

這個 Delay time 的增厚效果較 20~60ms 更為明顯，從這個時間值開始，人耳可以明顯分辨回音效果的差異，這也是建立在磁帶運作上的 Delay 效果器最主要的設計。

100ms 至四分音符

這種長度的 Delay，通常會製造 Large sound 音量增大的效果，人們可以直接想到「喔！這是 Delay」或者「這有 Echo」。這時間長度的 Delay 可以輕易地讓原始聲音與回音被區分開來。

四分音符以上

通常四分音符以上的延音便是俗稱的 Echo，最容易感受到這種回音的場所莫過於大峽谷、大教堂或是大迴廊了。此種效果常在聲音設計中被聽到，也常被拿來製造創意的聲音效果。

Comb filter 梳狀濾波器正是透過 Comb effect 的原理所設計，當訊號與它的延遲聲音產生堆疊時，會造成 Phase 相抵的情況發生，而產生新的聲音。

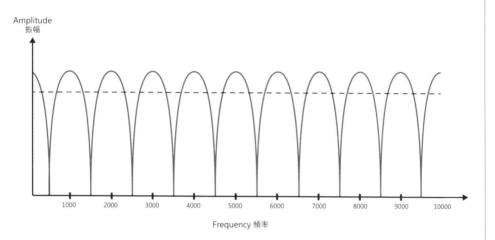

▲　Comb filter

Haas effect 是一種雙耳心理聲學效應。當人耳聽見聲音訊號之後，大腦會在 25~35ms 內壓抑任何類似的訊息，導致我們「只聽見一個聲音」，並以此為標準來判定聲音的方向性。

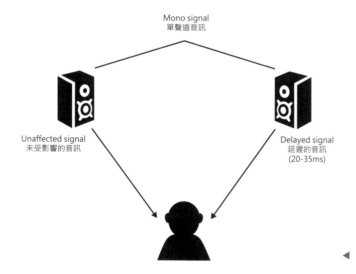

◀　Hass effect

Delay Calculation 延遲計算公式

在混音工程中，通常是在 4/4 拍的情況下以四分音符來計算 Delay，透過音符長度、節拍與歌曲速度便可以計算出 Delay time。以每分鐘 60000ms，除以 Song tempo 歌曲速度（BPM，Beats per minute 每分鐘拍數），即可得知在歌曲中，一個四分音符的延遲時間為多少 ms，進而推算出其他音符的延遲時間。

$$\underset{\text{歌曲速度}}{\overset{\overset{\text{每分鐘毫秒數}}{60 \times 1000}}{BPM}} = \underset{\text{延遲時間}}{\overset{\text{四分音符}}{ms}}$$

▲　Delay 計算公式

以速度 120 為例，將數值套入公式，可以得知四分音符的 Delay time 為 500ms。

BPM 120

$$\underset{\text{歌曲速度}}{\overset{\overset{\text{每分鐘毫秒數}}{60 \times 1000}}{120}} = \underset{\text{延遲時間}}{\overset{\text{四分音符}}{500ms}}$$

▲　將資訊帶入，得知四分音符的延遲時間為 500ms

再以速度 60 為例，將數值套入公式，可以得知四分音符的
Delay time 為 1000ms，更可進一步推知八分音符的 Delay time 為
500ms、十六分音符的 Delay time 為 250ms。

BPM 60

$$\frac{\overset{\text{每分鐘毫秒數}}{60 \times 1000}}{\underset{\text{歌曲速度}}{60}} = \overset{\substack{\text{四分音符}\\\text{延遲時間}}}{1000\text{ms}}$$

▎其他音符延遲時間
八分音符=500ms
十六分音符=250ms

▲ 將資訊帶入，得出四分音符的 Delay time，再推測出八分音符、
十六分音符的 Delay time

　　如果覺得自己算太麻煩，網路上有許多計算 Delay 的網頁，
只需要輸入歌曲的速度與節拍，即可得知各個音符的長度。現今
許多 DAW 或 Plug-in 也都內建按下 Tab 鍵自行計算 Delay time 的
功能。

Delay time calculator

BPM:　　　　　60

Time signature:　4　/　4

Calculate

▲ Delay time 計算軟體

　　無論使用哪
一個效果器，並
沒有得到完美聲
音的唯一方式或
法則。在聲音工
程裡，實際上還
是必須依照每一
次的聲音素材來
決定不同的處理
方式。

7.4

Types of Delay

延遲的種類

▲ Effects rack 效果器航空箱

在數位化錄音蓬勃之前，混音師利用磁帶播放的間隙，製造出 Delay 效果，當時稱為 Tape-echo 磁帶回音。Tape-base delay 磁帶延遲效果器的原理為磁帶播放的過程中，透過磁帶長度的調整，將聲音與聲音之間的時間距離拉長，自然而然造成 Delay。而這樣經典的設計，造就數位化時代許多效果器大廠，像是 Universal Audio 或是 Echoplex，比照此法設計出數位磁帶 Delay 呢！

Delay 就像其他空間效果器一樣有許多的種類，像是 Tape delay 磁帶延遲、Sample delay 取樣延遲、Digital delay 數位延遲（又分為 Stereo 與 Mono 單聲道）等各式各樣的 Delay 效果器。

Analog Delay 類比延遲器

這是最早的 Delay 效果器的運轉方式。於 Head 磁頭將聲音訊號導至 Tape delay 裡，並透過置於 Pinch wheel 導輪上的轉動，產生 Delay 值，再透過於 Head 重新錄音。

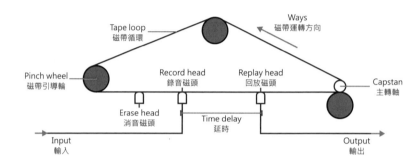

▲　Tape delay 的作用原理

而傳統 Tape delay 中，有兩種方式可以控制延遲時間的長度。

距離調整

透過改變實體效果器的 Record head 錄音磁頭和 Replay head 回放磁頭之間的距離，製造出播放與錄音的時間差。如果機器擁有許多 Replay head，透過距離的調整，再結合磁帶的播放速度，就可以調整出近乎混音師想要的 Delay time。但因為磁頭固定在機具上，改變距離需要動到機具本身，故此方式較費功夫。

速度調整

透過於改變實體效果器上的 Capstan 主轉軸的轉速，達到磁頭循環速度改變而產生時間差。因只需要調整播放速度，不需要動到機具本身，和前一種方式比起來又快又方便。但磁帶播放的速度是有限制的，調整出來的 Delay time 也相對有限。

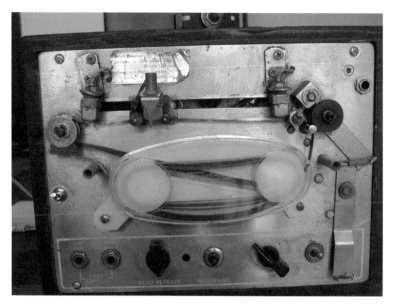

▲ Echoplex EP-2

▲ Roland RE 201 內部的磁帶

Solid State Delay 固態延遲器

約在 70 年代初期，以 Solid state 固態電路的方式去模擬傳統的磁帶類比效果，讓 Delay 效果器有了重大突破。Solid state delay 的運作方式和 Tape delay 的概念非常像，差異在於 Tape delay 是透過磁帶來儲存聲音訊號，而 Solid state delay 則將聲音訊號暫存在內部儲存空間來運算，運算完畢再讀取出來，並將訊號的一部分回饋給原先的輸入端，進而得到重複播放的聲音效果。而此設計能夠有效地改善使用磁帶延遲器的器材大小與轉動速率等問題。

▲ Solid State Time Delay

Digital Delay 數位延遲器

音樂總是離不開科技，科技進步的同時音樂也不斷在進步，數位化時代間接帶給音樂家與混音師更多便利，而「模擬」兩個字成為近二、三十年以來，最常出現的音樂科技名詞之一。

前述的 Tape delay 效果器至今還是非常受歡迎，隨著音樂科技的蓬勃發展，更多方便又快速的效果器廣泛地被運用。透過電腦運算的 Digital delay line（DDL）數位線性延遲器也加入 Delay 效果器的戰場，舉例來說，最陽春的 Delay time adjuster 延遲時間效果器中，聲音訊號的流動處理方式大略如圖。

Time adjuster 數位延遲效果器只是「單純進行聲音延遲」的計算，然而較複雜的 Digital Delay 效果器，還加入 Feedback 與其他參數，讓 Delay 效果器更具延伸性。

▲　Delay time patch 時間延遲效果配置圖

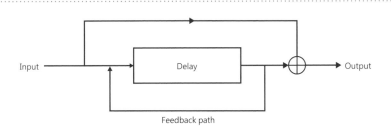

▲　Time adjuster 時間調整效果器

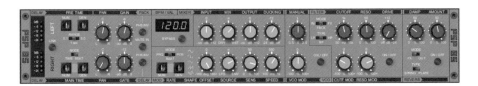

▲　Delay time patch 時間延遲效果配置圖

▲　PSP 85

Ping-Pong Delay 乒乓延遲器

Ping-pong delay是一種雙延遲，當第一道送出的聲音訊號（通常是左聲道）經過延遲訊號處理後，第二道聲音訊號（通常為右聲道）接著出現在相反的聲音通道。這樣的工作流程不斷重複，再加上原始聲音訊號便產生更多聲音細節。

▲ Waves H-Delay

▲ Soundtoys EchoBoy

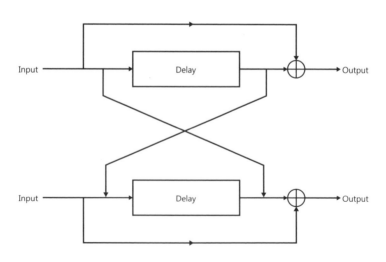

▲ Ping-pong delay 效果配置圖

Multi-Tap Delay 多重延遲器

然而，無論是 Tape delay、Digital delay、Ping-pong delay 都有一個比較可惜的地方，就是 Feedback 與 Delay 參數產生出來的 Delay，每一個回音的間隔時間是不可調整的，這些延遲聲響都是在一定時間以一定方式衰減消失。換句話說，每一個製造出來的回音，都取決於前一個回音的表現而定。

為了打破這個情況，Multi-tap delay 因此誕生，它可以分別控制每一次回音發出的時間、大小、相位、Feedback 等設定，使得聲音更具彈性與可操控性。

▲ PSP 608 Multi-tap delay

7.5

Delay Strategies

延遲的應用

Delay 的使用在混音工程中還有許多可能性。適當地與樂器搭配使用 Delay，不但能夠擁有更紮實的聲音，還能夠使用原始的聲音訊號，重新製作成全新的聲音訊號。下面介紹幾個 Delay 效果器的應用與注意事項，在一步步完成基礎學習之後，盡情發揮創意。

使用 Send / Return 傳送與回送來啟用 Delay 效果器

效果器的使用有許多選擇，無論是透過 AudioSuite 即時運算、Inserts 插件或是 Send/Return 都可以達到目的。然而，Delay 效果器較常透過 Send/Return 的方式啟動，較少直接使用 Inserts 開啟。因為透過 Sends 的方式運算 Delay 效果器能夠大幅度減少電腦的負擔，還可以另外處理 Delay 的聲音訊號與原始訊號的差異，來判斷另外增加的各式各樣的效果器，進而調整整體表現出來的聲音，並擁有更多的寬容度與操作範圍的自由度。

▲ Tape delay

由延遲計算公式向外延伸

正確的 Delay 時間單位，能夠使得 Feedback 依照歌曲拍速準確地黏在音樂上。在使用 Delay 效果器時，除非非常確定需要什麼樣的效果，否則應先由歌曲速度與節拍下手。能夠掌握後，再開始向外延伸出各種創意。然而，只要依照公式所計算的步驟下去調整，出來的延遲聲音效果都不會太過怪異，此時應仔細聆聽再做微調，相信耳朵聽到的聲音而非調整出來的參數數值。

對於主唱的運用

即便主唱的聲音訊號搭配 Reverb 已經是稀鬆平常的事，然而有時在人聲的處理上，Reverb 還是容易讓聲音太過鬆散，而失去聲音該有的光澤與曲線。這個時候可以試試將主唱的聲音訊號 Send 至一個 Aux track 輔助軌道上再製作 Stereo delay 立體聲延遲，並在左右聲道製作些微不同的 Delay time，讓兩者出現更明顯的 Stereo。這個方法可以讓聲音保留該有的形狀與邊界，卻又增加了空間感，非常實用。

使用 Delay 設計出 Reverb 效果

Reverb 與 Delay 最大的差異為，反射能被察覺到的回音數量造成聲音不同的效果。當需要調整出較迷幻或是較特殊的回音效果，單純使用 Reverb 或 Delay 效果也無法滿足歌曲的需求時，能夠嘗試將 Stereo delay 的左右聲道設定為不同的 Delay time，並且增設可記錄 Automation 自動化控制的移動式的實體旋鈕（或者使用 Soundtoys PanMan 諸類效果器）來達成聲音訊號快速在左右聲道連續移動，以手動記錄的方式，來詮釋 Reverb 在房間中成千上萬的反射，效果往往出乎意料呢！

Chapter

8 | Effects

效果

在混音工程中，使用 Effects 來增加聲音的特色與創意是一件稀鬆平常的事。使用 Effects 不外乎幾個需求：重現並營造出自然空間環境的聲音特色與個性；讓單一樂器的聲音更加紮實，成為歌曲勾勒的重點；重新配置樂器位置，讓 Sound image 聲音圖像更加廣闊。正確且適量地使用 Effects 能夠使混音聽起來更加完美，但如果使用過量，會掩蓋了聲音原先的美感。

所有的空間與時間效果器，依照影響聲音素材的比例與不同的掛載方式，可以分為 Wet effects 溼式效果與 Dry effects 乾式效果兩種。此分類並非絕對，許多效果器的使用時機介於兩者之間。再者，透過 Pre/Post Sends 前置與後置傳送的調整，也能夠間接影響各式效果器的使用方式。

8.1

Wet
Effects

溼式效果

Wet effects 扮演著 Adding effects 增加效果的角色。透過對原始聲音素材進行音調、音色上的處理，並利用 Loop 迴路的方式為聲音製作出全新效果，使 Modulation 調變式處理得以延伸出各式各樣不同的絢麗效果，像是前面章節介紹過的 Reverb 殘響、Delay 延遲，以及接下來要介紹的 Modulation delay 調變式延遲（Flanger 迴旋效果、Chorus 和聲、Phaser 相位、Vibrato 顫音）效果等。

▲ Modular system synthesizers 合成器系統

Loop 在效果器的設計中，扮演著功不可沒的角色，透過任意設定的初始點，電流從初始點開始順著路徑移動，而在移動的過程當中，必然會再經過設置的初始點。當迴路重複經過先前所設置的初始點時，此迴路則稱為閉合迴路。

基本上，透過一個通用的 Delay 效果器，嘗試調整 Delay time 延遲時間、Feedback 回授、Modulation rate 調變率、Depth 深度都能夠調整出近似這些效果器的聲音效果。

Flanger 迴旋效果

Flanger 透過複製原始輸入訊號，並增加少許 Delay，使得原始聲音產生了 Comb filter 梳狀濾波器的聲音改變，再加上使用迴路與相關的設置搭配，不斷在左右聲道移動的聲音，更容易使得聲音聽起來就有如迴旋般的效果。在流行音樂的混音中，較少看到 Flanger 的使用，然而，由於 Flanger 擁有強烈的效果聲響，因此於音效設計、Synth 合成器電子樂以及電吉他效果器上，適當地使用 Flanging 都能製作出酷炫且華麗的效果。

Chorus 和聲

早期和聲的概念建立在多名演唱者同步進行不同音階的演唱。如今，相同概念在數位 Plug-ins 上復興，透過此種效果器可以模擬出非常獨特的 Chorus。

Chorus 和 Flanger 在某些程度上極為相似，兩者最大的差異為 Chorus 非使用來自輸入訊號的 Feedback。Chorus 以相似的音色、音調延伸製作出數個聲響，並與原始聲響結合成為全新的聲音效果，如今已被大量運用在 Synth 電子樂的處理上。

在混音上的使用，適當的 Chorus 能夠幫助節奏吉他、Fretless bass 無琴格貝斯，或者 Pad 底層樂器的軟化，達到適當擺位的設計。然而，過多的 Chorus，也會使得聲音的位置太過後方而導致模糊、邊緣化，在處理上需要非常小心。

▲ MXR Flanger/Doubler

▲ Roland dimension D

Phaser 相位

Phaser 與 Chorus、Flanger 非常相似，但相較於其他兩者，它擁有更短的 Delay time，且對於聽覺感官，單一聲響較易受到 Phaser 的渲染。相較於 Flanger，Phaser 更常在吉他效果上看見蹤影，它能夠給予吉他未經任何效果處理的 Clean tone 乾淨音色一個震動且閃亮的聲響效果，在 Synth 電子樂上也常聽到 Phaser 的聲音效果。

Vibrato 顫音

透過非常快速且細微的音調抖動，以及移動變化所產生出來的聲音效果 Vibrato，不是一定會用到的效果器，通常僅用於非常特殊的片段或是特別的創意效果。Vibrato 的使用上沒有固定的調法，只能透過每一次臨場實驗與嘗試才能夠調整出獨特且適合歌曲的效果。

然而，在需要具「重量」的音樂曲風時，適量的 Vibrato 能夠扮演原始聲音與 Effects 的黏著劑。在電音或是較迷幻的音樂曲風，也能夠聽見使用 Vibrato 來移轉聽眾注意力的技巧。

▲ Soundtoys PhaseMistress

▲ MVibrato

8.2

Dry
Effects

乾式效果

Dry effects 通常扮演著混音工程中 Effecting effects 影響聲音的效果，它在原始聲音素材裡直接處理轉變聲音的本質，像前面介紹的 EQ 均衡器、Compressor 壓縮器、Filters 濾波器，以及 De-Esser 齒音消除壓縮器、Distortion 失真效果器等。

▶ Effects rack 效果器

OSC BALANCE

CUTOFF

SUB OSC VOLUME

-6   +6

CUTOFF 2

EDIT

FILTER ENVELOPE

OSC VOLUME

0   12

ATTACK

0

DECAY

AMPLIFIER ENVELOPE

De-Esser 齒聲消除壓縮器

有時候人聲在通過所有的處理程序後，仍舊會感到過於刺耳，這時候有個武器可以使用，它的名字是 De-esser。De-esser 被大量運用在人聲或是口白的錄音工作中，藉由消除嘶嘶聲來削減過亮的唇齒音。

舉例來說，經過 EQ 或 Compressor 後，容易使得聲音沾染上不同效果器的特色，往往無意間加強了聲音的「嘶嘶聲」；或者使用電容式麥克風進行人聲收音，因為電容式麥克風對於高頻率的震膜敏感度，收集到的中高音頻率往往較一般動圈式麥克風還要飽和，也需要特別注意這個問題。而在過於尖銳且充滿毛邊的樂器，像是電吉他的 Solo，又或者是腳踏鈸的尖銳金屬銅鈸聲，有時候 De-esser 也能夠派上用場。

消除主唱造成的嘶嘶聲能夠使用許多效果器的串接來達成，但是 De-esser 的作用像綜合了 EQ、Noise gate 噪音閘門與 Compressor，使用上較串接各種效果器來得方便。

使用 De-esser 與直接使用 EQ 來消除 Sibilance 唇齒音最大的不同在於 De-esser 擁有 Threshold 閘門的控管機制。當 Sibilance 太大時，觸及 Threshold 的臨界值，將會啟動 De-esser 進行 Sibilance 的衰減機制。簡單來說，EQ 在去除 Sibilance 的處理上屬於靜態的效果處理，而 De-esser 則為動態的效果處理。

雖然效果器的使用順序沒有一定的規則，然而，將 De-esser 放置於 EQ 或 Compressor 之後，再來控管原先聲音經過調整後，無意間被 Boost 增加的聲音訊號，是非常好的做法。

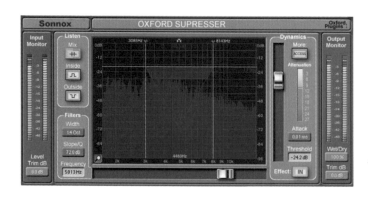

◀ Sonnox Oxford
SuperEsser

Distortion 失真

改變原先聲音訊號的任何方式，在技術上都算是一種 Distortion 的效果，但此種方式並非像使用 EQ 或 Compressor 是針對頻率或動態來進行改變，而是直接將聲音波形進行更激進的調整。

正因為如此，Distortion 的使用範圍相當廣泛，在混音工程中，有些混音師會偏愛將聲音訊號送至額外的 Tape 盤帶上，以取得類比器材天然的 Harmonic distortion 總諧波失真；在吉他效果器中的 Overdrive、Fuzz、Metal 等各式破音效果器，都算是 Distortion 效果的一環。

在節奏類樂器上加入少許 Distortion 效果，能夠給予過於單薄的聲音更加獨特的效果，或是讓聲音增加跳脫整體混音的音效感，同樣的情況也常出現在 Synth、貝斯、電子琴，甚至於人聲的處理上。

▲ Abbey Road Studios J37 Tape

▲ Manny Marroquin Distortion

Automation

自動化控制

對於動態處理，並非所有動作都必須仰賴 Compressor 壓縮器或其他 Dynamic effects 動態效果才能達到功效。在效果器的使用中，有時候會遇到「多一點太多，少一點太少」的狀況，此時就需要借助其他手法來達成 Dynamic control 動態控制的目標。混音工程中有一個不甚起眼的功能，但它之於整個音樂製作的過程扮演著顛覆想像的角色－ Automation。

9.1
Automation
自動化控制

Automation 在早期 Console 控台時代，被稱為 Ride the fader 操控推桿。正因為當時的操作是透過 Fader 推桿來控制對於聲音訊號的阻抗，再透過讀寫記憶隨著歌曲的進行來移動與改變，進而達到控制軌道音量的目的，因此在寫入 Fader 的記錄時，就像是駕馭了擁有一定難度的這個動作。

▲　控台時期自動化控制的細節調整是一項費時費力的謹慎工作

　　隨著DAW數位音訊工作站的盛行，Automation 已不限於實體 Fader 的控制，如今甚至只要按按滑鼠就能夠輕鬆完成設定。而在 Automation 的編制上，各大 DAW 更多了鉛筆工具，能夠直接繪製自動化參數，因此「Writing automation 編寫自動化控制」這說法才廣為流傳。

　　舉個例子，假設一段音樂的樂器為基本的樂團配置—電吉他、貝斯、鼓、主唱。歌曲的前奏需要以貝斯為主角，進行到小副歌與副歌時，需要改為吉他或是主唱為主角，透過軌道依照自動化設定的記憶來做改變，像是 Levels 聲音大小、Pan 定位、開啟效果器的時間點等，Automation 自動化控制在此就能夠發揮出極大的本領，可以重新給予聲音呼吸與生命，讓整個混音更加靈活有趣。

9.2
Automation Setting

自動化控制參數

現今 Automation 的設置參數，
隨著不同 DAW 的設計各有優缺，本
篇的控制參數與設置是以現今 2016
年錄音室的龍頭軟體 Avid Pro Tools
做為範例，在不同 DAW 也許會有不
同命名或是配置方式。但相同的是，
數位化時代的 Automation 設置都是
極為方便的，可以輕易地記憶與刪
除。對於整個混音工程後端的音量平
衡處理來說，是個極為方便且重要的
工具。

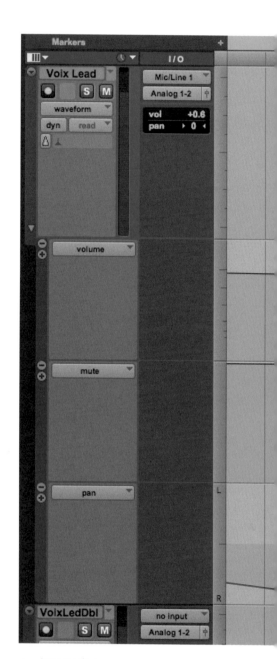

▲ Automation

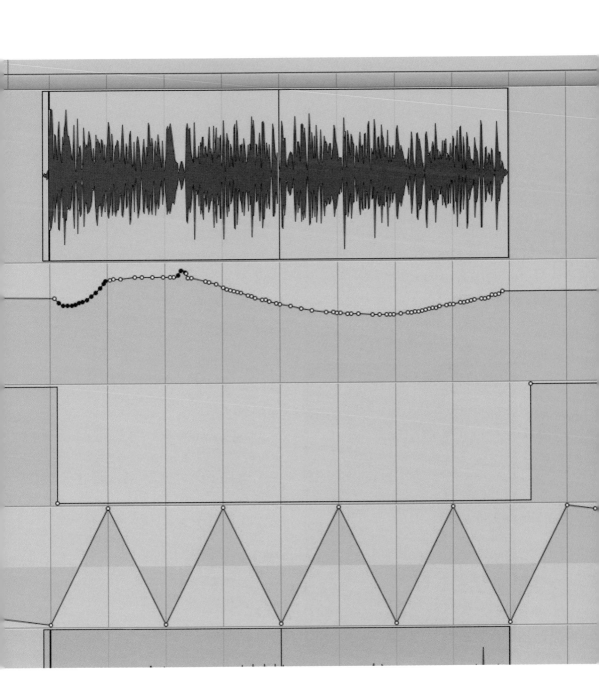

Off Mode 關閉模式

當軌道已經畫上各式各樣的參數，暫時想要聽取最原始未受到 Automation 影響的效果時，選取 Off mode 可以讓軟體忽略所有曾經畫過的 Automation 的參數。

Read Mode 讀取模式

這是 Pro Tools 內建的預設模式，也就是軟體自動讀取軌道上所有 Automation 的參數資訊並播放，但播放過程中的任何動作並不會寫入或者造成任何變化。

Touch Mode 觸控模式

當需要透過實體 Fader 來執行 Riding the fader 或 Writing automation，藉此避免滑鼠繪製所造成的誤差，此時透過外接的混音控台或是實體控制介面，能夠做更細微的 Automation。Touch mode 會使得 DAW 在控制器被碰觸的瞬間，即開始寫入新的 Automation 參數；未碰觸 Fader 時，DAW 會讀取並寫入原先已經被寫入的參數。換句話說，此時的 Fader 會自動跳回舊的 Automation 參數的位置，這模式適合使用在「原先已經寫入一些 Automation 參數，但是想要進行後續調整」的狀況。

▲ Pro Tools HD 的 Automation mode selector menu 自動化控制模式選單

在 Touch mode 狀況下工作時，設定好 AutoMatch Time 自動補償時間很重要，因為當手放開 Fader 的瞬間，DAW 會自動跳回舊的 Automation 參數位置，AutoMatch Time 的數值決定了 Fader「要多快跳回去」。

若使用的 DAW 為 Pro Tools，請至 Setup > Preferences > Mixing > AutoMatch time 更改設定。

Latch Mode 鎖定模式

這功能與 Touch mode 很像,最大的差異在於 Touch mode 會在未碰觸控制器時,跳回原先的 Automation 位置,而 Latch mode 則會停留於現正操作的位置。這模式適合使用在「想要調整某一個時間點的數值,而希望這個數值持續進行一段滿長的時間」的狀況。

若使用的 DAW 為 Pro Tools,按住 Command (Mac)/ Ctrl(Windows) 鍵在 Latch mode 鎖定模式上點一下,就可以 AutoMatch 讓所有的 Automation 跳回原點。

Write Mode 寫入模式

在 Write mode 的狀況下,DAW 會在播放的過程中覆蓋已經存在的 Automation 參數,舊的參數將不復存在。在此模式中,為了防止下一次播放時洗掉已經寫好的 Automation 參數資訊,軟體通常會在結束 Write mode 的動作後,自動切換回其他模式。

若使用的 DAW 為 Pro Tools,請至 Setup > Preferences > Mixing > After write pass 中的 Switch To: 設定自動切換回哪個模式。

Touch / Latch Mode 觸控與啟動模式

在 Touch 觸控模式與 Latch mode 啟動模式的狀態下,只有 Volume 音量的參數設定會被預設於 Touch mode,其他參數調整的功能都是在 Latch mode 之下。此模式很適合使用在影片時間較長的 Post-production 後期製作或是演唱會的長時間音訊處理。

Trim Mode 修剪模式

Trim mode 最常與 Touch mode 和 Latch mode 一起開啟使用，它是用於音量修整模式上。如圖，黑色 Automation 參數線為一般 Pro Tools 播放時讀取的 Automation 參數，而當開啟 Trim mode 時，Pro Tools 的 Fader 會變成金黃色的，

此時便能進行參數的設置。當完成金黃色的 Trim Automation 修剪自動化控制參數繪製後，點選 Track > Coalesce trim automation 功能，Pro Tools 會自動將舊的 Automation 參數合併為一個新的 Automation 參數線。

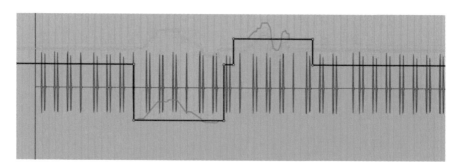

▲ 在原先的音量上繪製一個新的動態音訊控制，並使 Pro Tools 記錄軌跡

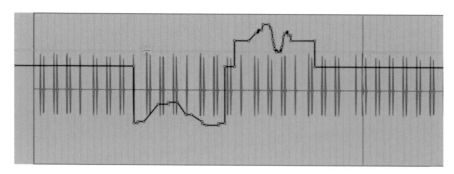

▲ 原先的動態訊號將會記錄並結合成為全新的動態音訊記錄

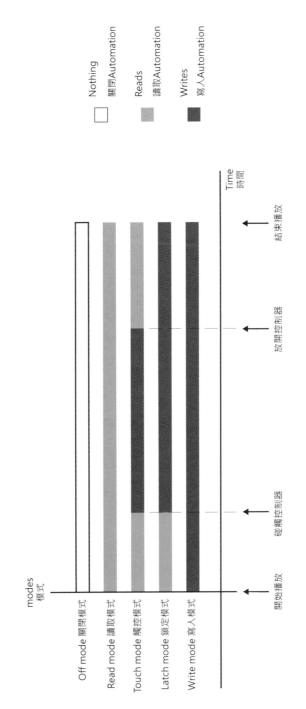

Automation Modes
自動化控制模式

9.3
Types of
Automation

自動化控制的種類

▲ Automation 是動態控制的關鍵

　　透過操控 Automation，能夠有效地幫助聲音更加靈活，並重新塑造聲音的呼吸與情緒。使用實體的器材來製作 Automation，遠勝於使用滑鼠於軌道中慢慢製作，而各式各樣的控制器材，更能夠提升混音師在製作 Automation 的效率與成果。

Ride the Fader 操控推桿

在數位化時代之前，有少數外接混音控制器，透過移動 Fader 來改變對於電流阻抗的差異，進而改變聲音的變化。這種控制器通常都非常昂貴，也非常大型。在傳統的類比混音控台上，作用的原理主要是透過電壓或是內部石墨特殊部件來進行自動化控制的讀寫與操作，故在調整自動化控制的細節時就需要非常謹慎，因為只要失誤就得重頭來過，相當費時費力。所以早期的操作方式對於混音師來說，混音的當下就是一場全新的音樂演出！

▲　Riding the Fader

Writing Automation 編寫自動化控制

現今所有的 DAW 都已經內建以圖形化方式來呈現 Automation 參數，至今的呈現方式有兩種—使用滑鼠，在停止播放的聲音軌道上慢慢地描繪 Automation 線條；或是透過實體控制器，像是 Mixer 混音控台、Control surface 控制介面、滑鼠等進行 Real time 即時的 Automation 參數繪製。

而 Automation 的調整也因為進入了數位音樂的時代，操控性更加廣泛，舉凡音量大小的控制、左右 Pan 控制、Mute 靜音與效果器等皆可設置為 Automation 的參數之一，使得聲音的控制更加彈性與靈活。

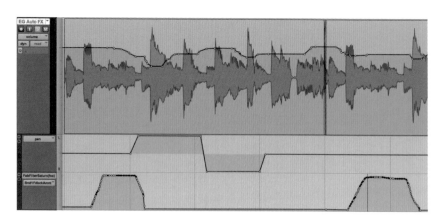

▲　Writing automation

Voltage Controlled Automation Master Track
（VCA Master Track）
電壓控制放大器總管軌道

將時間推回 1977 年，Neve 公司在倫敦 Air studio 推出了第一款 Moving fader automation 可移動式的自動化控制系統— Neve Computer Assisted Mixdown（Necam），一推出便造成聲音工程界的譁然，人們驚喜的發現，原來透過 Riding the fader 的動作，可以在類比盤帶錄音的世界中，有著如此高的效率與品質，這也正是在 Chapter 3 中介紹的電壓控制放大與音量控制器所結合的 VCA Fader。當時透過 VCA 可以記錄所有 24 軌聲音軌道上的控制，再轉送至盤帶，將 Moving fader 的資訊記錄下來，聲音品質遠遠超越一般 Fader 的設計。

後來，George Massenburg 以及 SSL 等競爭公司才漸漸推出相似且更多功能的 Fader automation 推桿自動化系統。

▲ Neve Computer Assisted Mixdown（Necam）

在現今全數位聲音工作時代的來臨，已經難以像過去那樣輕易採購昂貴的 VCA Fader 混音控台。因此，DAW 中的 VCA Master track 就這麼應運而生了。透過模擬實體 VCA Fader 的方式，在 DAW 中利用可被獨立創建的 VCA Master track，來統一控制與監控群組裡每一個 Audio track 音軌的音量，並做一個統整群組音量大小的方便軌道控制工具。但要注意，VCA Master track 只是方便操控群組的 Master 控制軌道，本身並沒有聲音訊號的流入。

VCA Master track 的最大好處是，即便群組內的每一個軌道各自擁有許多 Automation 參數，VCA 還是可以再單獨執行、製作 Automation 參數，藉此提高整體自動化控制的層次與提供更棒的聲音品質。

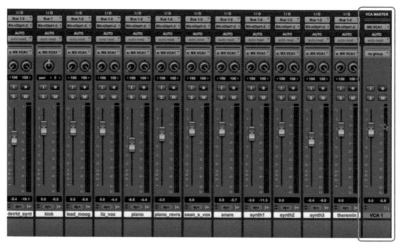

▲ 圖中所有軌道都被送到同一個群組 MIX VCA 1，而最右側的那個 VCA Master track 可以另行操控這個群組的 Automation

George Massenburg 為知名的聲音工程師兼發明人，創立了 GML 這個至今仍然廣受歡迎的品牌，其中包含 GML Automation system、GML Parametric EQ、GML 2032 MIC PRE 等知名器材。George 屢次在音樂類獎項與音樂科技獎項中得獎，如 Academy of Country Music、Mix Magazine TEC Awards、Grammy、Technical Grammy Award 等，説他是音樂科技的先驅一點也不為過。

MIDI Continuous Controller（MIDI CC）
樂器數位介面連續控制器

即便隨著數位化時代的進步，混音師已經能夠進行更精細、更多元的操作調整，但是 MIDI Continuous Controller（MIDI CC）還是深受許多音樂人喜愛。MIDI CC 與 Writing automation 之間主要有幾項差異：

- MIDI CC 只能夠透過 MIDI controller devices 來繪製。

- MIDI CC 會被記錄在每一個 MIDI clip 音塊中，因此整體可以隨著音塊的位置改變而移動，也可以另外再繪製 Writing automation。

- 因為 MIDI CC 的整體記憶刻度被劃分為 0 至 127，MIDI CC 資訊的解析度與精準度都遠不及 DAW 的 Automation。

- MIDI CC 不是固定在旋鈕或 Fader 上的，每一次使用皆需要特別執行軟體與硬體對應，並額外學習使用的方式。

▲ MIDI CC

以下是 MIDI CC 的基本代碼，MIDI 的語言世界通用，這些代碼不會因為不同的 DAW 而遺失或有不同的設置狀況。

▼　MIDI control number 樂器數位介面控制代碼

Decimal	Hex	Controller Name
0	00h	Bank Select (Controller # 32 more commonly used)
1	01h	Modulation Wheel
2	02h	Breath Contoller
3	03h	Undefined
4	04h	Foot Controller
5	05h	Portamento Time
6	06h	Data Entry MSB
7	07h	Main Volume
8	08h	Balance
9	09h	Undefined
10	0Ah	Pan
11	0Bh	0Ch
12	0Ch	Effect Control 1
13	0Dh	Effect Control 2
14-15	0E-0Fh	Undefined
16-19	10-13h	General Purpose Controllers (Nos. 1-4)
20-31	14-1Fh	Undefined
32-63	20-3Fh	LSB for Controllers 0-31 (rarely implemented)

Decimal	Hex	Controller Name
64	40h	Damper Pedal (Sustain) [Data Byte of 0-63＝0ff, 64-127＝On]
65	41h	Portamento
66	42h	Sostenuto
67	43h	Soft Pedal
68	44h	Legato Footswitch
69	45h	Hold 2
70	46h	Sound Controller 1 (default: Sound Variation)
71	47h	Sound Controller 2 (default: Timbre/Harmonic Content)
72	48h	Sound Controller 3 (default: Release Time)
73	49h	Sound Controller 4 (default: Attack Time)
74	4Ah	Sound Controller 5 (default: Brightness)
75-79	4B-4Fh	Sound Controller 6-10 (no defaults)
80-83	50-53h	General Purpose Controllers (Nos. 5-8)
84	54h	Portamento Control
85-90	55-5Ah	Undefined
91	5Bh	Effects 1 Depth (previously External Effects Depth)
92	5Ch	Effects 2 Depth (previously Tremolo Depth)
93	5Dh	Effects 3 Depth (previously Chorus Depth)
94	5Eh	Effects 4 Depth (previously Detune Depth)
95	5Fh	Effects 5 Depth (previously Phaser Depth)
96	60h	Data Increment
97	61h	Data Decrement

Decimal	Hex	Controller Name
98	62h	Non-Registered Parameter Number LSB
99	63h	Non-Registered Parameter Number LSB
100	64h	Registered Parameter Number LSB
101	65h	Registered Parameter Number MSB
102-120	66-78h	Undefined
121	79h	Reset All Controllers
122	7Ah	Local Control
123	7Bh	All Notes Off
124	7Ch	Omni Off
125	7Dh	Omni On
126	7Eh	Mono On (Poly Off)
127	7Fh	Poly On (Mono Off)

MIDI 是這 30 年來非常普遍的一項技術，不過礙於技術上的限制，MIDI 一路走來都被貼上解析度較低的標籤。然而近幾年來，MIDI Manufacturers Association（MMA）一直積極研究與更新 MIDI 的功能與使用，表格中許多的 Undefined 未定義項目，其實陸續都被加上了新功能。

而 MIDI 2.0、HD-Protocol、HD-MIDI 等相關新技術陸續提升了 MIDI 的解析度與支援性，高辨識性的開發則從未被忽略。究竟 MIDI 2.0 可以再帶給數位音樂怎麼樣的改變與提升，全球音樂產業皆在殷殷期盼。

9.4

Automation
Strategies

自動化控制的應用

在製作歌曲時，Automation 可以執行許多超乎想像的技巧，例如：使得樂器重新描繪出屬於它的呼吸、讓音樂擁有更像現場演奏般的情緒、加入特殊音效設計使得聲音更有特色、將 Plug-in 設定套用至 Automation 讓死板的效果器更加活化，這些都是在歌曲後製中常使用到的 Automation 技巧。

▲ 千變萬化的聲音

自動化控制聲音動態

聲音的動態控制技巧可以透過 Compressor 來達成，可是使用 Automation 來增加每一個聲音細節的微小改變，就是 Compressor 較難辦到的事了。當使用 Compressor 壓縮完整個聲音後，也許在某些字句上，仍舊需要明顯的輕重音，此時 Automation 就能夠勝任這個工作。

在主唱的錄製上，混音師常需要在字裡行間與背景音樂之間進行聲音的平衡處理。當歌手氣較不足或者需要特別強調某個單字時，使用 Automation，可使得 DAW 自動降低其他背景聲音的音量，或是拉高單一字句來增加主唱的力度，是基本且常見的人聲平衡技巧。

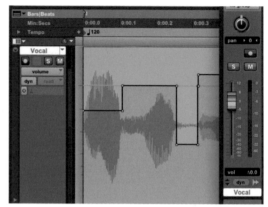

▲ 對於些許動態差異過大的字句，先別急著用 Compressor，試試 Automation ！

重新定義聲音的呼吸與情緒

眞實樂器的演奏有著如同人類呼吸的感覺。當歌曲內部的弦樂或其他樂器是使用 MIDI 虛擬樂器音色，再過帶成爲 Audio track 的狀況時，使用 Automation 重新描繪與詮釋音量的動態來模擬眞實樂器的情緒，這是極爲重要且能夠增加聲音情緒的方式。

◀ MIDI Bounce 的 Audio file，透過 Automation 的描繪，可以重新模擬真實樂器的演奏呼吸

真實音場的詮釋與模擬

在音效設計時，假設情境為「一輛汽車由你的左後方開過來，再往右前方開去」，此時的聲音素材卻始終處在正中央，這樣的聲音會較為呆板，而無法真實到讓觀眾投入。若是透過 Automation 的 Auto level control 自動音量控制和 Panning 定位控制，就可以輕易模擬真實情況的聲音活動。

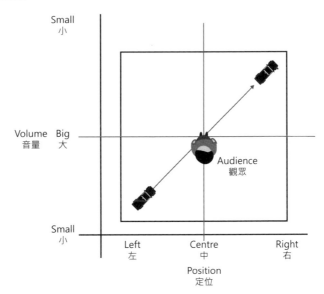

▲ 以 Automation 來模擬聲音位置的重現

Levels Fade In / Out 音量淡入與淡出和
Clip Fade In / Out 聲音素材淡入與淡出

即便現今 DAW 的 Fades 淡變功能都非常強大，能夠依照聲音素材 Clip 去做各種的 Fades 變化或組合，然而，還是難免會遇到怎麼調都不滿意的情況，像是想特別去除某些片段的雜音等，此時使用 Automation 決定 Levels fades 音量的淡變，對於聲音想怎麼控制就怎麼控制，非常方便。

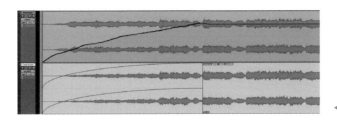

◀ Fade in 和 Automation

效果器的 Automation 自動化控制

　　在些許歌曲的配置裡，若只想要在進副歌後的電吉他有失真效果，就可以將效果器的 ON 配置進入 Automation 內，並且將其設置在「主歌部分都是關閉的」，當進行到副歌後再開啓，讓效果器的使用不再死板，整體的聲音表現將更有特色。

　　只要點選效果器上的 Auto button，便能夠開啓 Plug-in 的 Automation 設置視窗，再將效果器上需要的參數增加到 Automation 選項中。

　　效果器的 Automation 操控絕對不僅只是開啓與關閉，在某些聲音設計裡，當只需要在某些時間上突顯聲音800Hz 的頻率，而在過了某個時間點後改爲突顯 2kHz 的頻率，此時 EQ 均衡器的 Automation 就會變成火力強大的武器。

Auto button

▲　Auto button

▲　Plug-in automation window

Snapshots 快照記錄

在 Pro Tools HD 的 Automation 擁有一個功能— Snapshot automation，這個功能可以將所有做過的 Automation 參數調整「拍照記憶」，然後在任何想要的地方「貼上記憶」。換句話說，當特別喜歡主歌橋段調整出來的 Automation 參數時，Snapshot 可以將之直接複製到第二段主歌上，就像是文字的複製與貼上一般。

Preview 預覽與 Capture 捕捉

在處理 Automation 時，Preview 與 Capture 按鈕是非常好用的工具。當只是想要試聽當下調整出來的 Automation 效果時，這個設定總是難以決定，開啟 Preview 來繪製 Automation，此時的 Automation line 自動化控制線是不會顯示的，也可以說它是一種練習模式。

當練習完後，確定這就是想要的 Automation 效果時，按下 Punch preview（Preview 按鈕右邊向下的箭頭），就可以將喜歡的預覽模式在 Automation 中顯示出來。

Capture 按鈕則是能夠幫忙混音師記錄位置的好幫手。舉例來說，當在 Automation 的繪製上畫到 -2dB，此時按下 Capture 按鈕，DAW 會自動記錄 -2dB 這個記憶點位置，然後就可以繼續畫其他音量的 Automation，之後混音師只要按下 Punch capture（Capture 按鈕右邊向下的箭頭）就可以讓 Automation 瞬間跳回剛剛記錄的 -2dB 位置。

▲ Automation window

10 | Mixing Techniques

混音技巧

基礎理論的概念就像是工具,當瞭解大多數的參數與混音基礎概念後,如何應用才是真正的難題。在混音工程中,效果器的運用、彼此之間的連結、聲音的再製與重製、交叉比對檢查等,混音工程注重的是那一千個小細節,而非表面上看到的那些大重點。

10.1

Using Inserts, Send / Return and AudioSuite

效果器的使用方式與差異

雖然各家廠牌有著不同的設計，但在 Plug-in 的使用，大致上的操作與格式都是類似的。以 Pro Tools 來舉例，Inserts 插件、Send/Return 傳送與回送、AudioSuite 即時運算爲軟體效果器最主要的三種使用方式。它們各自擁有適合的使用時機，且皆爲各大 DAW 數位音訊工作站上可見的效果器掛載方式。三者之間並沒有所謂唯一正確的使用方式。瞭解三種使用方式的差異，更能夠在混音過程中幫助電腦節省效能、靈活運用效果器與提升品質。

▶ 無論是硬體或軟體效果器，使用上絕對都會是一門大學問

Inserts 插件

直接在需要使用到效果的軌道上掛載效果器的方式稱為 Inserts。在這樣的使用方式下，Plug-ins 會不斷運算效果給掛載 Plug-in 的單一軌道，因此使用 Inserts 可以為某個單一軌道量身打造最獨特的聲音效果。然而，在這樣的狀態下，效果器的運算將會不斷占用電腦 CPU 資源，使用過多的掛載或是串接不同類型的效果器，都容易造成 Delay compensation 訊號延遲補償或 Overload 超載狀況產生。

效果器擁有非常多種使用方式，無論是虛擬效果器或硬體效果器，電腦都需要將聲音送到效果器處理，再送回電腦運算，在這過程中的時間差，產生了該音軌與其他音軌的時間差，這種狀態稱為 Delay compensation 訊號延遲補償。

在更進階的效果器使用方式中，Plug-ins 在 Pro Tools 10 之後的版本檔案格式還分為 AAX Native、AAX DSP，而使用外部串接或 UAD 效果器也需要特別注意串接的順序，以免造成 Delay compensation，而使得軌道與軌道之間的時間差過於明顯而影響了整體聽覺。

▲ Inserts

Send / Return 傳送與回送

　　Send/Return 為一個絕對不能忽略的效果器使用
方式。透過 Aux track 輔助軌道與 Bus 匯合箱的搭配，
可以自行決定將 Plug-in 的效果傳送至多個不一樣的
軌道，換句話說，共用效果的做法能夠有效減少電腦
資源的占用。

　　再者，透過 Bus 來分送效果器效果，可以分別
調整每一個 Bus 的傳送多寡，因此可以選擇某些軌
道使用 100% 的效果處理，某些只使用 20%，更可
依照 Pre/Post 前置與後置的傳送方式來與原始訊號做
區隔。即便掛載在 Aux track 上的 Plug-in 也持續在占
用資源，但這種共用效果器的方式，能夠使得 Send/
Return 對於資源的占用遠低於 Insert 的掛載方式。

▲　Send/Rreturn

AudioSuite 即時運算

　　AudioSuite 效果器的使用時機，主要針對當某個特定聲音素材需要某個特定的聲音效果時，對於聲音素材本身的性質進行一次性的改變。直接在 Pro Tools 工具列開啓 AudioSuite 選取 Plug-ins，調整好需要的聲音效果以即時運算、改變聲音素材。當 AudioSuite 的 Plug-in 運算結束後，聲音素材的本質就會受到改變，較難將聲音素材進行任何的回復，而效果器運算完畢之後即會釋放出空間，不會再占用電腦資源。

　　舉例來說，當只是爲了一、兩個小節的鼓節奏效果時，就不需要以搭配 Bus 進行 Send/Return 的使用方式，另外再開一道 Aux track 來占用電腦資源，此時只要直接針對聲音素材使用 AudioSuite 進行效果調整運算。運算完畢後，占用的記憶體就會釋放出來給其他需要使用的部分。

AudioSuite	Options	Setup	Window	Help

EQ ▶
Dynamics ▶
Pitch Shift ▶   Start   10:00:01:17
           End   10:00:02:02
Reverb ▶   D-Verb
Delay ▶   IR-L efficient Stereo
Modulation ▶   IR-L full Stereo
Harmonic ▶   IR-L Mono
Noise Reduction ▶   RVerb Stereo
Dither ▶   TL Space
Sound Field ▶   TrueVerb Mono
Instrument ▶   TrueVerb Stereo
Other ▶

Bomb Factory ▶
Digidesign ▶
Trillium Lane Labs ▶
Waves Audio ▶

◀ AudioSuite

▼ Inserts、Send / Return、AudioSuite 的比較

	Inserts	Send/Return	AudioSuite
優勢 與 特點	隨時可做單一處理，調整彈性高	・ 可共用效果器 ・ 節省資源，針對 Wet effects 發揮功效 ・ 搭配 Pre/Post send 的模式更可以依照配送的群組改變傳送訊號多寡	・ 運算完便釋放資源 ・ 直接進行聲音素材本質的改變 ・ 試聽效果的設計非常方便
缺點	較占電腦資源	需進行 Aux track 與 Bus 之間的設置，較為複雜且易使整體軌道數增加	無法更改
使用 時機	Dry effects 乾式效果（EQ 均衡器、Distortion 失真）	Wet effects 溼式效果（Reverb 殘響、Delay 延遲器）	視情況調整使用效果種類

10.2

EQ Before Compressor
or
Compressor Before EQ ?

均衡器與壓縮器的順序與搭配

混音工程裡兩個最關鍵、最常使用的效果器 EQ 和 Compressor，絕對是最不可或缺的工具。然而這連帶牽扯出的問題就像是先有雞還是先有蛋一樣，總是被許多混音師爭論著，究竟在混音工程的處理程序上，應該先掛載 EQ 還是先掛載 Compressor 呢？

Neve 31102 EQ

Chuck Zwicky 為曼哈頓的知名
製作人與聲音工程師，合作過
的專輯藝人眾多，如 Prince、
The Contact、Soul Asylum、
Alyson Stoner、Dead Prez、
Jeff Beck、The Rembrandts、
Reggie Watts、Information
Society 等知名樂團。

這個問題非常難解，也沒有一
個固定答案。然而，在這之中倒是有
著些微的差異能夠觀察出其中奧妙。
美國曼哈頓知名的聲音工程師與製作
人 Chuck Zwicky，在 2011 年接受知
名效果器廠牌 Softube 專訪時說過：
**"Placing an EQ before a compressor
can have the effect of exaggerating
the applied EQ."**

「在 Compressor 前放置 EQ，可
以將 EQ 的效果更加放大、誇張化。」

**"Placing an EQ after a
compressor you can often attain
more audible results with less EQ,
producing results that often do not
'sound EQ' EQ."**

「在 EQ 前放置 Compressor，
通常可以不用調整太多 EQ 的參數，
而且這樣的結果可以得到『不那麼
EQ』的 EQ。」

英國的知名錄音師作家 Mike
Senior，著有數本非常熱賣的聲
音工程書籍，其中以《Recording
secrets》 和《Mixing secrets》
這兩本最廣為人知。目前任職世
界知名的錄音工程雜誌《Sound
on Sound》的長期專欄作家與
編輯，極力投身於錄音工程的
教育與宣傳。

英國的知名錄音師作家 Mike
Senior，曾經在 2000 年的《Sound on
Sound》專訪裡提及：**"I find it helps
to think that the purpose of EQ
before a compressor is primarily to
tailor the response of the compressor,
whereas post-compression EQ is for
general tonal shaping and for helping
things mix nicely."**

「我們可以這麼想：將 EQ 放在
Compressor 之前主要的目的是在調
整 Compressor 的反應；而 EQ 放在
Compressor 之後是為了用於調整音
波以得到更好的混音。」

**"If I manage to achieve
the compression characteristics,
I'm after then I'll only EQ after
the compressor. If I can't get the**
**compression to sound right, then
I'll try carefully EQ'ing before
the compressor in order to get the
compression sounding right, even
if that means boosting a frequency
before the compressor and cutting it
again afterwards to retain some of
the original tonal contour."**

「如果是由我來主導，為了充分
發揮 Compressor 的特性，我會選擇
先掛載 Compressor，再來才是 EQ；
但是如果不能只用 Compressor 就得
到我想要的聲音，我才會很小心的在
Compressor 前面再掛一個 EQ 來修
正；就算我需要在 Compressor 前面
推 EQ，但在 Compressor 壓縮完後，
我還是會再掛一個 EQ 把推的頻率拉
回來，藉此保持原本聲音的調性。」

正因為這種雞生蛋、蛋生雞的問題沒有正確的答案，在處理 Mixing 混音時決定先使用哪一個效果器沒有對與錯。然而，這之間卻有著一個前提－聲音素材的狀況是完美與非常好掌控的。面對這兩種效果器的選擇時，也許不該思考「究竟該先處理 EQ 還是 Compressor」，而是轉換成「對於這個聲音訊號，它的狀況與最終想要達成的程度差異是多少」，更能夠得到適合的解決方式。

▲　Pre EQ or Post

以下針對不同的使用順序，來探討各自的優點與缺點。

EQ → Compressor

●　優點：

透過 EQ 來修剪掉不想要的聲音雜質頻段，再進到 Compressor 處理，可以得到比較溫暖、圓滑、維持著原先錄音空氣感的聲音。先 EQ 或是先 Compressor 的問題，是建立在聲音素材的 Quality 品質與對於整個 Mix 混音想要製造出什麼樣的形狀之上。

舉例來說，當需要針對主唱聲線來處理壓縮，卻又不想造成不必要的頻段因為 Compressor 的作用而放大，或是適時使用 EQ 過濾掉 Low-band 低音頻段或是 Tracking 錄音時的泥土聲，都是將 EQ 放置於 Compressor 之前的原因。又或者某些時候，我們不想要 Compressor 對於某些特定的聲音訊號進行壓縮，這時候將 EQ 放置於 Compressor 前就非常重要了。

●　缺點：

EQ 的使用牽一髮而動全身，若是處理不當，容易造成聲音素材的改變，導致後面 Compressor 直接放大了不當的頻率操縱，而使悲劇發生。

Compressor → EQ

● 優點：

　　透過 Compressor 置前的方式，可以得到更清晰、更有形狀的聲音，且對於整個聲音軌道的取向會更加成型。因此將 Compressor 置於前方的前提是需要確保聲音素材的品質足夠完美，且沒有任何會影響到連帶放大雜訊的問題。低音頻率的聲音訊號往往比高音頻率的聲音訊號更容易誘發 Compressor 的作用，因此在使用完 Compressor 後再使用 EQ 的狀況下，必須確保頻率上的和諧與平均。

● 缺點：

　　若是這個聲音素材原先就擁有在某些頻段上的缺點，透過 Compressor 前置的方式很有可能將不必要的頻率變得更明顯、更誇張，容易造成後續頻率堆疊的困難與麻煩。

EQ → Compressor → EQ

● 優點：

　　透過 EQ 篩選掉不必要的頻率，進而取得較好操控的聲音，再使用 Compressor 提升整體聲音的動態律動，接著使用第二個 EQ 來塑造出更具個性與特色的聲音素材。

● 缺點：

　　這種效果器的串連方式較爲死板，但也是較多人使用的方式。此種狀況中，第二個 EQ 與第一個 EQ 之間，搭配性的相互關係非常重要，需要額外花費較多時間處理三者效果器的相互牽引關係。

Compressor → EQ → Compressor

● 優點：

　　當面對一些動態訊號差異非常大的聲音素材時，EQ 的處理容易造成能量的增加。此時可以嘗試先使用 Compressor 抑制與統合整體的動態訊號範圍，控制較大的動態聲音訊號，並同時增加較小的動態聲音訊號的音訊表現。當調整處理完整體的聲音動態後，此時再進入 EQ，就會因為動態的平均而較好調整，後續透過第二個 Compressor 依照 EQ 處理的頻段範圍加強，使其更有形狀。舉例來說，像是處理電吉他的 Solo，這樣的效果器掛載方式非常容易上手。

● 缺點：

　　第一個 Compressor 最主要的目的為動態調整，但除了 Compressor 的使用，在 DAW 中其實有許多不同方式可以達到相同的效益。而每當聲音素材經過一道效果器，就需要多運算一次，因此在效果器的使用上需要考量到是否因為 Compressor 渲染了聲音，以及是否會造成電腦運算的負擔進而產生延遲問題。

當聲音素材不夠完美，但礙於經驗不足，還沒辦法直接用耳朵聽出素材的哪個頻段區域有雜質時，使用 Q 值框選一個非常小的範圍，然後將那個區塊 Gain 增益至最高，並由高頻慢慢往低頻拖曳，便能夠突顯出聲音的雜質區塊。當尋覓到了不協調的頻段時，再將 Gain 歸零，然後開始往下衰減。

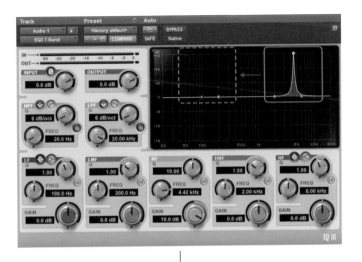

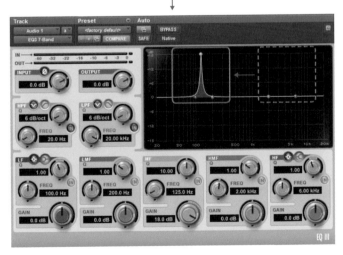

▲ 3-7 Band EQ cuting unbalance freuqenics

10.3

Using Delay and Reverb

延遲與殘響器的應用與關聯

Reverb 是透過反射所模擬建立出的一個虛擬空間，而 Delay 是由一或數個不同的聲音反饋營造出不同距離的聲音圖像，然而，即便這兩種時間與空間效果器非常相像，皆是成為 Echo 回音的要件，在效果器的使用上又常被直接劃上等號，但 Reverb 與 Delay 這兩種處理聲音訊號的方式相輔相成又息息相關，但絕非完全相同。

▶ 效果器的運用是使得最終聲音成像截然不同的關鍵，而在同屬性的效果器使用上更需要特別注意

Hearability 辨識度

Reverb 的回音效果所造成的聲音現象，是一種非常緊密與密集的聲音反射，是由千千萬萬個反射音所組成，因此 Reverb 往往會讓聲音模擬出虛擬空間，但也容易造成整體聲音的混淆，迫使原聲的辨識度下降。舉例來說，當在一間非常廣闊的房間大喊一聲「你好」，此時聽到的「你好」是模糊且宏偉的。

Delay 的回音效果反射次數就較 Reverb 稀疏了，通常是幾個可數的回聲，容易造成像是複製了原聲，而依照效果的差異延後再播送一次。因此，當不是真的想要「模擬空間感或是創造出虛擬環境」時，Delay 反倒較 Reverb 能夠勝任這個任務。舉例來說，當處在山頂，對著山谷大喊一聲「你好」，過幾秒鐘後會聽到對面山谷反射回來的聲響，就好似對面也有人在對自己的方向呼喊一般。

Location 方位

在 Sound image 聲音圖像的詮釋上，有時候混音師會為了將聲音擺在後方而選用 Reverb。因為 Reverb 效果器造成的空間感普遍較為模糊，容易導致聲音被其他聲音掩蓋；相反的，Delay 造成的距離感能夠增加聲音的密度，反而能夠給予聽眾一種主唱站在所有聲音最前方的聽覺感受。

在製造 Stereo 立體聲音場時，大多時候使用 Delay 效果器的表現會較 Reverb 效果器來得好，因為 Reverb 往往會將聲音弄模糊與弄髒，感覺是將整體聲音放置在一間很大的房間，而非真的打開了左右空間感。但無論如何，聲音的世界裡沒有絕對的對與錯，還是要依據不同樂器、不同曲風、不同目標下去做調整與選擇。

Bobby Owsinski 在《The mixing engineer's handbook》中對於 Reverb 與 Delay 的前後位置提出非常有意思的論述： **"If delays are not timed to the tempo of the track, they stick out."**

「如果你的 Delay 沒有跟隨整個專案檔的節拍，那些延遲的效果就會跳脫出來了。」

"Reverbs work better when they're timed to the tempo of the track."

「Reverb 效果器若是能夠與專案檔的速度契合，它的回音也能夠表現出非常棒的聲音效果。」

有時候對於處理的歌曲，若當下想要聽到的是一個很明顯的 Delay 效果，最好的做法就是直接讓 Delay 不要跟上專案的速度；相反的，要是開設的 Reverb 與專案檔的速度契合時，整體表現的聲音也是非常完美的。由此可推算出另一個結果，其實時間與空間效果器沒有一定要怎麼調或是怎麼使用，還是要依據你想表現怎麼樣的聲音，再去調整這些效果器的參數。

10.4

Listening in Mono

單聲道聆聽

　　透過聆聽單聲道來檢查混音是很重要的，這個動作可以確保聲音成品不只在立體聲的狀態下是完美的，在單聲道也不會因為聲道轉換而損失太多聲音品質。單聲道聆聽可以讓混音師檢測出許多問題，有些頻率上的漏洞只會在單聲道的狀態下被聽見，而這些頻率漏洞在立體聲內是有可能被掩蓋掉的。

▶ 為了避免在不同的播放系統所聆聽到的差異過大，適時使用單聲道聆聽是極為重要的事

即使在 Stereo 與 5.1 聲道相當普及的今天，因爲方便傳送與頻寬的關係，還是有許多產業或器材是使用單聲道在傳遞與播放聲音檔，如收音機廣播、地方電視頻道等，甚至於現今的智慧型手機，因爲喇叭的左右聲道過於接近，在播放的聆聽上很容易因爲距離過近而無法聆聽出左右聲道的差異。

Balance 平衡

在切換立體聲與單聲道的聆聽上，只要聽到單聲道音訊和立體聲音訊之間有著非常小的差異，就該多注意 Balance 平衡上的調整了。

Panning 聲音定位

若錄音室擁有兩個以上的監聽喇叭，通常會在切換監聽喇叭的 Console 控台或是額外的 Monitor controller 監聽控制系統上找到 Mono listening 單聲道聆聽模式。透過這個模式，能夠了解 Stereo 混音作品在切換到 Mono 時是否造成聲音品質的受損，來幫助混音師降低與避免作品於不同平台聆聽的差異性。

當在立體聲的狀況下搞不清楚或者對於 Sound image 感到棘手時，嘗試在單聲道的狀況下聆聽，反而能夠得到意外的結果。舉例來說，要是發現混音作品切換到 Mono 的差異不大，就可以改變 Panning 的設置來增加音場的遼闊度。

Phase 相位

前面章節提到 Phase 和 Phase correlation 相位儀表，可以瞭解聲音與聲音的抵銷問題是否造成了整個混音工作的混亂，並造成聲音削減的情況產生。混音師透過 Monitor controller 將監聽模式切換至單聲道聆聽，往往能夠更清楚地感受聲音的任何異常，像是相位相抵、頻率堆積等。

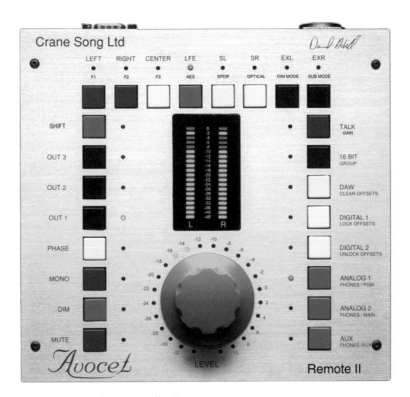

▲　Avocet Monitor Controller II

10.5

Make
the Sound
Wider

讓聲音聽起來更立體

「請讓我的聲音廣一點、寬一點！」對於混音師來說絕不陌生，也是非常常用的技巧！透過更廣闊聲音的混音技巧，能夠達到許多對於聽覺上的不同感受，像是希望聲音能夠在進入歌曲副歌時能夠有更大的差異、整體音樂的詮釋表現能夠更貼近聽眾的聽覺感受、希望原先的單聲道音訊能夠透過立體聲的處理聽起來更胖更厚、希望整體聲音音場表現更寬廣等。

▲　在混音當中要求更寬廣的聆聽性是非常常見的要求

雖然現今 5.1、7.1 聲道甚至更高規格的 Dolby Atmos 懸吊式喇叭，或其他 Dolby Lab 實驗室開發的聲音聆聽系統，又或是 Ambisonics b-format，都隨著這三十年來音樂產業的開發而比之前更加普及。但現今的流行音樂，主要市場還是以 Stereo 爲主，這樣的條件之下，如何讓混音作品在主流聆聽系統裡發揮出最高的聆聽表現，也是造就大家想要讓聲音聽起來更寬廣的原因之一。除了在音軌動手腳之外，還有些許知名的 Stereo effects 立體聲效果可以辦到，但最重要的還是需要針對不同的聲音素材與音樂曲風下去進行處理。

Stereo effects 並不是萬靈丹，適度地使用可以很好聽，但首先必須考慮到整體混音的平衡還有融合度。效果器的處理往往是雙面刃，取得好音質、好效果的同時，也可能會導致音質的損耗、相位的混亂，這有可能是在面對各式各樣聲音素材時會碰到的問題，也有可能是因為不同 Latency 延遲，或是監聽環境造成聲音品質的改變等諸多原因，需要特別注意。

Stereo Maker Parameters 立體聲效果器參數調整

　　立體聲效果器的調整與時間、空間效果器非常相似，透過調整聲音的寬度可以達成將聲音變得更寬廣的訴求。而在大部分的立體聲效果器上都可以見到 EQ 的蹤影，用來修整聲音在變得更寬廣的製作過程中造成的聲音頻率狀況。

Width / Stereo-Expansion 寬度

　　Width 主要用來調整聲音在立體聲道的寬闊度。在不同品牌的效果器上可能會看到不同的兩種單位標示─0 至 100 或 0% 至 100%，但兩者的效果是相同的，只需要找出該效果器的比例即可對應使用。舉例來說，0 為完全單聲道聲訊，而正中間為 50，可再增加上限至 100。

Tone 頻率

　　Tone 旋鈕通常能夠用來 Boost 增強與 Cut 切開某些頻率，能夠讓模擬出來的 Stereo sound 更加緊密地黏著在整體混音的安排。在使用 Stereo maker 的時候，需要特別注意是否會造成相位問題，而透過 Tone 的調整能夠有效避免因模擬更加寬廣的聲音圖像時所產生的高頻噪音問題。

Modes 模式

　　每個廠牌推出的 Stereo maker 擁有不同的 Modes 供使用者切換，有些預設為不同的 Filter 濾波器設定，有些為 Tilt/Pan 傾斜或改變方位的模擬，像是模擬 DAW 內建的 Pan control 定位控制一般，或是整體氛圍的聆聽感受。

Bypass 跳過

　　內建 Bypass 提供使用者在操作 Plug-in 時更直覺地執行 A/B Test。

Hi-Damp 高音衰減

就像 Reverb 的 Hi-damp，Hi-damp 可以幫忙減緩位於約 5kHz 頻段的聲線，讓整體立體聲模擬得到更溫暖、更舒服自然的結果。

Mono-Frequency 單聲道頻率

選擇某個區段的頻率，將低於選擇數值的頻率以保持單聲道的聲音方式來呈現，這個功能能夠避免讓一個樂器當中一些不適合轉變成為立體聲的頻率，保持在原始狀態。舉例來說，像是單獨開啟貝斯或大鼓之類樂器軌道的 Stereo maker，正因為考量整體混音的效果，並不想讓所有的聲音頻段都變成立體聲，而導致過多的模糊低頻渲染了整個混音。

Meters 儀表

在 Stereo maker 裡通常會有幾種 Meter 可提供混音師查看，分別是 Goniometer 測向儀表、L/R Peak and RMS meter 左右峰值儀表與平均方根儀表、Balance meter 平衡儀表、Phase correlation meter 相位儀表。其中一個比較特殊的儀表 Goniometer 為直覺式的圖像化表頭，混音師透過圖形變化就能夠知道目前立體聲的 Sound visualization 聲音訊號圖形化狀態。

▲ Goniometer

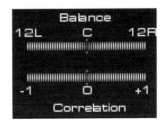

▲ Peak、RMS L/R meter

▲ Balance meter、Phase correlation meter

Fake Stereo 模擬立體聲

除了直接使用效果器讓整體音訊聽起來更加立體之外，要使整體混音變成立體聲還有很多方法可以達成，像是使用 Send/Return 額外加掛時間與空間效果器的方式等。然而，所有的 DAW 都能夠透過一種不需要使用任何效果的簡單方式，來針對單一軌道模擬立體化。

先選擇一個 Mono 聲音素材，將它 Duplicate 複製成為兩個全新的軌道，並命名為 L 與 R，以避免後續動作的混亂。

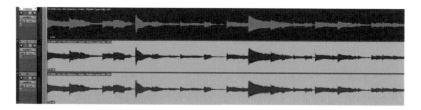

▲　複製 Mono 聲音素材為兩個全新軌道

接著使用 Nudge 推移工具將兩個軌道與原始聲音軌道的時間點稍微錯開，在這個範例中，L 軌道往前移動了 20ms，而 R 軌往後移動了 20ms，此時三個軌道就產生了些微的時間差。將 L 聲道透過 Pan control 移動至極左，R 聲道移至極右。這樣就手動完成 Time adjustment 時間延遲效果器所能製造的效果。

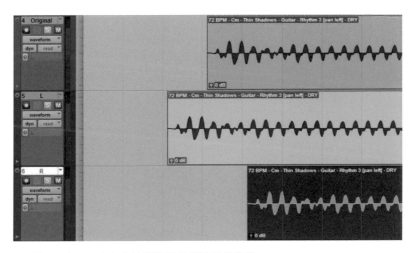

▲　將 Duplicate 出來的軌道進行前後時間差推移

　　這只是一個非常基礎且常見的模擬立體聲製作方式，在此階段之後還能夠透過增加其他效果器綜合應用，使得聲音更自然、更好聽，但在調整 Stereo 音場的重點就是需要隨時觀看與聆聽模擬當下操作對於 Phase 相位的影響。

　　混音的技巧與工具之於混音結果的好與壞，容易因為聽覺習慣與聽覺空間而導致差異，以上介紹僅供參考，實際上的使用與調整仍然需要自行依照不同素材而改變與實驗。

10.6
The Art of Mixing

混音的藝術

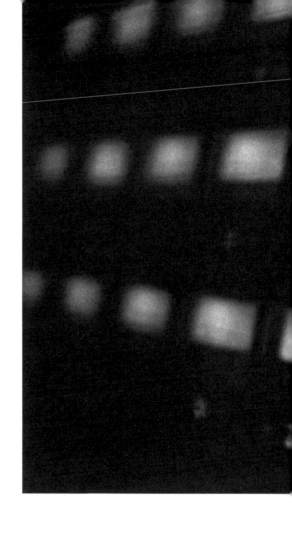

一個最終完成的混音作品，其實不單只是效果器的運用與器材的操作，當中更涵蓋了許多層面的延伸，像是對於音樂美感的培養、對於聲音聆聽的敏銳度、對於聲音抽象的想像力等日常生活累積。然而「細心」則是不變的真理，唯有細心，才更能夠觀察到每一個聲音細節當中那微小的差異與改變，以建構出最終完美旋律及其他諸多的可能性。

Reset Ears 重置耳朵

　　混音是個長時間的工作，人類的耳朵與其他身體部位較不一樣，它非常容易感到疲倦。在疲倦的情況之下，容易降低對於不同頻率的聽覺敏感度，爲了補足這點，人類會下意識地提高音量繼續工作，如此則容易造成耳朵受損。

　　除此之外，人耳在固定時間聽取某個頻率聲音，常會出現聽覺麻痺與喪失聽覺的現象，而在這個狀況之下，人們通常會覺得某個聲音聽起來超完美、超好聽，但這可能只是因爲聽覺麻痺或喪失聽覺下的美麗誤會。

再者，長時間工作容易衍生出一個問題－過度專注於某個頻率的處理，反而容易忽略整個作品本身的平衡與表現。因此當混音一直混不出滿意的結果時，或者在開始工作的同時，即瞭解到這是必須長時間抗戰的專案，分階段給予自己一些咖啡時間或者休息時間，往往會得到新的靈感或是完全不同的想法喔！

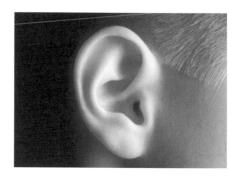

▲ 耳朵才是執行與聆聽混音最重要的工具

Mixing in Low Level 在低音量下混音

除了避免長時間的混音工作之外，工作時不使用過大的音量來處理混音是非常重要的。一般民眾認為大聲的聲音是好的，那是因為人類的耳朵對於大音量的播放，容易誤以為有更多的頻率被傳遞出來，但這是完全錯誤的觀念。

科學研究顯示，人耳對於中頻的頻率是最敏感的，但要是在整體音訊都非常大聲的情況下被長時間轟炸，每一個頻率點的頻率都被極度強力的放送出來，則高頻與低頻被推出來的機會將會更多、更大，這樣很容易造成人耳自然放棄了對於中頻的聆聽，這就是為什麼吵鬧的音樂總是更能吸引觀眾。

在前面章節已經提到，固定音壓大小才能夠平均顯示出各頻率的聲音響應，因此一個好的混音師會透過一直切換不同的喇叭與不同的音量來確保混音維持在相同的水平，同時藉此保護自己的耳朵，而不會透過任何音量的更換來改變聲音的品質。

A / B Test 交叉比對

一般而言的 A/B Test 意指改變前與改變後相比。此處談的 A/B Test 還可細分為兩個部分：第一是使用多對監聽喇叭與耳機的交叉比對；第二是交叉比對軟體中的聲音素材。混音為需要長時間集中精神的工作，長時間的壓力之下容易使得混音師的聽覺疲乏與心力憔悴。對於混音工程來說，為了避免這樣情況干擾對混音作品的判斷，使用 A/B Test 瞭解兩者之間的差異是非常重要的關鍵。

▲ Sample magic, Magic AB, plug-in，Magic AB 為混音或母帶後期製作中強大的參考對照效果器工具，它可以快速切換最多 9 組的樣本比對，不管是 LR 的總音量輸出還是看波形來校正，都能夠快速比照出兩者的差異

專業的錄音室皆擁有多對監聽喇叭，用意在於使用不同的監聽方式下交叉比對：切換不同廠牌的監聽喇叭、切換監聽耳機、切換不同的監聽環境等。搭配監聽控制器可以更有效且快速地切換、操控監聽喇叭，瞭解混音作品在不同的頻率響應喇叭上所造成的聲音差異，這是非常重要的事。

▲ SPL Monitor & Talkback Controller

▲ AIR Studio London, Lyndhurst Studio

　　無論使用哪一套 DAW 進行混音工作，現今數位化時代的一個最大的優點，在於使用數位效果器的順序或是編輯處理實在是太方便了，因此若是不太確定或者猶豫不決，不妨更換一下數位效果器在 DAW 裡的順序，然後仔細聆聽兩者之間的 A/B Test，並交由耳朵好好評斷，也是 A/B Test 一個非常重要的關鍵。

　　以 Pro Tools 來舉例，有個功能— New playlist，可以在同一個軌道的同一個位置裡記錄著不同的聲音素材，進而切換同個位置卻不同階段的聲音記錄檔。因此當搞不定前面提及的效果器順序時，透過 New playlist 來記錄不同的 A/B Test，也能夠幫忙記錄每個階段的差異性。

◀ New playlist on Pro Tools

Audio Samples and References
聲音素材與混音樣品庫

在 White、Robjohns 和 Lockwood 的著作《The Studio SOS Book》中提到：**"You can learn a great deal about arranging, recording and mixing simply by listening more carefully to your record collection."**

「透過混音樣品庫的整理與聆聽，你可以學到更棒的編曲、錄音與混音技法。」

擁有一個混音樣品庫對於音樂工作者來說是無比重要的。各個年代與各個國家不同的音樂作品，絕對有著非常不同的處理方式與聲音味道，例如 90 年代的混音，主旋律線條的形狀就非常的鮮明。仔細研究後會發現，每當音樂進入主線時，整體歌曲都能夠更有力道地衝刺出來；現今風靡全球的韓式電音曲風音樂，強而有力的節奏不斷重複迴盪、不斷加深聽眾的印象，其中低頻的節奏大鼓總是顆粒又大又有厚度，更容易達到強化聽眾對整首歌曲的印象的目的。研究不同曲風的編曲，往往更能夠掌握到在音樂製作上與混音工程上的眉眉角角，也更能夠正確的瞭解許多曲風在製作上的差異性，避免像無頭蒼蠅的盲目製作。

再者，不同音樂曲風的混音又有著非常不同的處理方式。例如 Hard rock 硬式搖滾的大鼓與小鼓非常講究力道上的表現，小鼓的點總是又清脆又充滿 Punch 衝擊感，這樣的爵士鼓音色與流行音樂的爵士鼓音色，在混音工程上的處理有著完全不同的方向與做法，其他樂器與聲音亦然。

當聽到音樂風格不同的混音作品時，收集作品並在有空之餘揣摩每一種風格的混音詮釋方式，又或是在下次遇到相同音樂風格的工作時拿出來參考，這種由平日開始的累積，可以訓練一個混音師混出「有著不同味道的作品」。當往後處理到不熟悉或沒有靈感的音樂曲風時，隨時從樣品庫中尋找參考並加以規劃是非常重要的。

Part 4

混音結束

混音的結束，

還需要好好的承接給聲音工程中的最後一環—母帶後期製作。

絕不虎頭蛇尾，

才是好聲音的最終堅持與態度。

Chapter

11

Finishing
the
Mix 混音結束

當辛苦處理完所有混音上的小細節,所有設定也得到製作人
的點頭後,便要準備交接給 Mastering 母帶後期製作階段,
但混音工作還沒有結束,還有最後一道關卡,需要謹慎處理
之後才算真正完成。

11.1

Prepare for
Mastering

母帶後期製作前置作業

▲　The Rattle Room Studio

　　正因爲 Mixing 混音並不是聲音工
程最尾端的作業，許多 Printing the final
mix 輸出聲音音軌的小細節都可以幫助
承接的聲音工程師更容易上手，也能夠
避免虎頭蛇尾的情況發生。

Printing the final mix 為聲音工程中的專業用語，意指將聲音透過一些類比的器材得以換取更棒的聲音，或者是輸出整個混音工作的最終檔案，準備交接到 Mastering 階段。

為了要避免最終混音作品聲音與聲音之間，經過加總後導致最終總音量過大，所以並沒有給予 Mastering engineer 母帶後期工程師太多操作的空間，有許多重點事項是需要在混音最終階段就得好好注意的。

Analog vs Digital Summing 類比過帶與數位過帶

Analog vs Digital summing（Summing 為彙集的意思），這個問題一直都是全球音樂產業的爭論主題之一。如今數位化門檻愈來愈低，In the box（ITB）全電腦混音早已不是什麼祕密，也絕對是一個阻擋不了的趨勢。當然，不能說這是錯的或者這一定是不可以的，只不過單就這個問題來分析，通常會有幾個問題。

In the box（ITB）意指數位時代全程使用電腦來執行混音工作，ITB 在數位音樂科技蓬勃發展的今天，漸漸為音樂製作開啟了一扇可輕易踏入學習殿堂的門，但連帶著引起許多後續爭議，如全數位音樂製作的環境是否足夠真實而可以取代舊有的高成本類比製作程序等，至今仍是音樂產業最受關注與討論的主題之一。

自 1991 年活躍至今的知名葛萊美獎製作人與聲音工程師 Andrew Scheps，製作出的專輯更是於全球不同語言國家的暢銷常勝軍，像是 Michael Jackson、Sum 41、Limp Bizkit、Red Hot Chili Peppers、U2、Adele 等知名藝人皆常與 Andrew 合作。Andrew 更曾經在 2015 年底提出了「自 2014 年開始，他就已經 100%ITB 混音」一文與相關演說，更是震撼了全球的音樂製作圈。

使用 ITB 的 Digital summing 數位過帶優勢爲方便、快速且修改簡單，然而，若要一直進行 ITB 混音，在 DAW 數位音訊工作站中直接把所有軌道彙集成爲 2 軌，所有的聲音軌道便會直接衝進 Master track 總管軌道，無形中會因爲頻率的堆疊而將整體的混音聲音做得太滿，容易導致聲音因爲功率問題而產生堆積 Distortion 失眞，聽起來高頻會過多，連帶著約 200 至 800Hz 的低頻相對不足，因此聽起來容易頭重腳輕與刺耳不舒服，甚至這也是造成 Loudness war 響度戰爭的原因之一。

Digital Summing Inside the DAW
數位音訊工作站的數位匯集概念圖

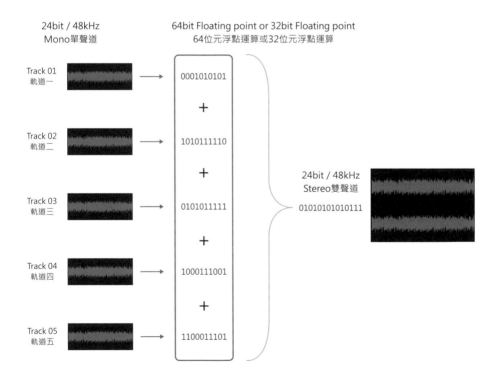

24bit / 48kHz
Mono單聲道

64bit Floating point or 32bit Floating point
64位元浮點運算或32位元浮點運算

Track 01
軌道一　　→　　0001010101

　　　　　　　　　　＋

Track 02
軌道二　　→　　1010111110

　　　　　　　　　　＋

Track 03
軌道三　　→　　0101011111

　　　　　　　　　　＋

Track 04
軌道四　　→　　1000111001

　　　　　　　　　　＋

Track 05
軌道五　　→　　1100011101

24bit / 48kHz
Stereo雙聲道
01010101010111

然而使用 Analog summing 類比過帶的優勢在於，透過 AD/DA（Analog and Digital Converter）類比與數位轉換器轉換的過程中，會將聲音彙集至一個 Summing box 彙整箱，透過額外對於彙集動作的處理，自然能夠幫聲音加上些 Harmonic distortion 總諧波失真，如此因功率而導致的高頻率堆積問題就能夠有效得到改善，聲音會圓潤一些、音場的寬度會更打開、效果也會更清晰。

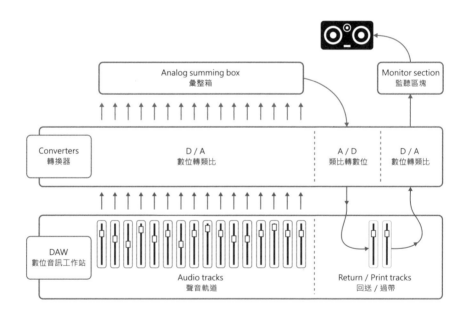

▲　Analog summing

Levels and Channel Check 音量大小與聲道檢查

此項的重點在於，需特別注意 Meter 儀表的 RMS value 平均方根值與 Peak value 峰值之間的儀表變化，同時觀察左右聲道的音量大小，是否因為 Panning 聲音定位而導致左右平衡問題？ Phase correction 相位儀表上是否在 Mixing 階段就已經造成了 Out of phase 聲音反相的情況產生？

透過 Mastering 來使聲音更廣是錯誤的想法，請在混音階段就檢查左右聲道各自的顯現是否正常，以及確認聲音訊號在 Mono 單聲道 /Stereo 雙聲道模式之間的切換與聆聽。爲了避免在 Mastering 階段發生難以處理的關係，盡量在 Mixing 階段就先行解決這些問題，以免後續產生無法處理的狀況。

Leaving Extra Space 預留額外的時間

是否在整首歌曲的最開頭便要保留額外允許的時間？雖然這只是一個小細節，但它能夠幫助母帶後期工程師預留增加一點 Fades 淡變的空間，提升聲音從空白處進到歌曲的順暢感。

一樣的狀況在歌曲的尾端也需要被注意，這樣可以防範聲音不會被裁剪到或是不自然的淡出。如果沒有特別注意到這些地方，很可能會迫使 Mastering 階段製作出額外非常強硬、不自然的淡入或淡出的感覺，破壞了整首歌前面幾個階段的辛苦工作成果。

Headroom 動態空間

保留 Headroom 給予 Mastering 階段發揮的空間，是現今在 Mixing 承接上的最大、也最容易被忽略的重點。雖然至今仍舊沒有強制預留多少 Headroom 的規定，但是絕對不要讓 Master track 的音量觸及、甚至超越 0dB。一般來說，保持約 3 至 5dB 左右的空間大小，都是合理的 Headroom。以下提供幾點能夠於混音階段適當保留 Headroom 的方式：

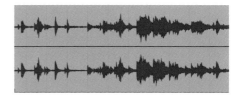
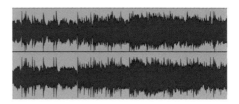

▲ 有 Headroom 與沒有 Headroom 的差別

注意效果器的使用

效果器在使用時需要特別的小心，即便是使用 EQ 均衡器來執行頻率衰減，仍舊可能導致聲音能量超越0dB的狀況。許多 Mastering 的效果器更是需要多一點空間才更能夠發揮其處理音訊的強項，故預先保留這些空間給 Mastering 是極爲重要的。

調整聆聽音量與聲音訊號的大小

適時地調降整體聲音訊號是最簡單的做法，即便很少人眞的願意這麼做，因爲由聆聽者的心理來看，多會受到音量變小的影響而認爲音樂變得不好聽了。這時可以透過 Fader 推桿調整軌道、藉由 Gain 增益來調整個別音塊大小、使用 Trim 修剪效果器來調整軌道音量大小。若是擔心聽覺上不夠清晰，請於調降整體聲音軌道的音量大小後，再提升監聽音量，即可補足這點。

善用 High-Pass Filter 高通濾波器

High-pass filter 能夠用來清理軌道的聲音，避免過多低頻能量的堆積，這點於討論 EQ 的章節中已有詳盡的說明。這些低音頻率的堆積往往成爲扼殺 Headroom 的無形殺手。因此適時地使用 High-pass filter 來減少 100Hz 以下的頻率，對於整體 Headroom 的掌控能夠有非常大幅度的影響。

善用頻譜來檢查中低音頻段的頻率

當控制完 100Hz 以下的低頻能量堆積後，若 Headroom 依舊無法有效地空出適當空間，這時候可以嘗試開啓頻譜，檢查一下是否於 Low-mids 的 200 至 500Hz 頻率區塊占據了太多大小音量。若是太多，這區塊的頻率容易讓聲音聽起來過於骯髒且黏膩。但處理 Low mids 中低音頻率需要特別小心，避免造成整體頻率失衡。

Master Track 總管軌道

一般來說，在錄音、混音階段往往會選擇高過最終 16bit/44.1kHz 的 CD 取樣品質（通常需要在整個工作程序前端，就確認好該歌曲最終所需要的品質），因此在繳交母帶給 Mastering engineer 時，永遠都是繳交與製作專案相同的最高品質檔案。

若是在 24bit/48kHz 或是 96kHz 的狀況下，完全沒有必要額外輸出更高取樣頻率的聲音檔案，那只會造成聲音在轉換取樣頻率的過程中，造成聲音訊號的音質流失。再者，千萬不要在 Master track 上掛載 Dither 位元降轉器，這是屬於非常尾端的 Mastering 工作，若是輸出成同於工作檔案的取樣品質，那 Dither 的掛載便完全沒有意義了。

現今許多混音師為了要給予製作人或唱片公司混音階段的聆聽，已經習慣在混音階段就自行製作 Pre-mastering 預先母帶後製，然而，若非是擁有充足經驗的混音師，在轉交檔案給真正的 Mastering 製作時，請務必記得去除所有在 Master track 上所掛載的 Bus compressor 匯合壓縮器、Limiter 限幅器、EQ 等效果器，這些都是在最終 Mastering 階段時才會放置的效果器。

經過某些壓縮或者整體頻率處理輸出的 Mixing 階段聲音檔案，會導致在 Mastering 處理上產生很大的困難，也容易造成聲音未亮燈，本質卻早已 Clipping 破音的問題。這動作可以有效避免效果器在 Master track 上，對整體混音進行過度處理的情況。

Eliminate Noise 消除雜音

在每一次過帶的時候，都要仔細聆聽任何可能導致困擾 Mastering 階段的所有因素。在 Mastering 讓整首歌曲更加透亮的過程中，很可能會無意間帶出混音上的缺陷，必須再三檢查是否有 Noise floor 底部噪音、滑鼠點擊聲、空氣雜音、電流雜聲、背景雜音等任何可能影響聽覺的聲響。

Format 格式

當完成了 Mixing 階段的聲音檔，在進入 Mastering 時，往往是輸出成單一 Stereo 或是 L/R 兩軌單聲道的 Wave，或是 Aiff 這些無損、無壓縮的檔案格式。避免聲音訊號在轉檔的過程中，因為格式而壓縮或損壞了原始音質，這是非常重要的。

11.2
Mastering
母帶後期製作

　　一家傳統的鞋子工廠，在最後一關需要專門人員來檢測完成的鞋子是否有色差？模具在壓製皮革時是否造成破壞？黏膠在黏合鞋底時是否溢出等，確認沒有問題的鞋款才能夠送至店家進行銷售。

　　隨著音樂科技的不斷進步，音樂家的演出方式與器材慢慢有了改變，與音樂製作相關的硬體與軟體也有許多新發明與改進，對於聲音作業的要求也有愈來愈多的選擇與方向。漸漸的，Mastering 階段就被突顯並跳躍出來。

　　Mastering 階段扮演的角色與鞋廠的檢測人員非常相似，在把關最後一道關卡時，對於聲音工程上所能發揮能力之處也愈來愈多，像是檢查所有聲音工作上的問題、提供更棒的聲音品質表現、給予一般聽眾更多的衝擊、更直接地傳遞製作人或者歌手最初想要對於這首曲子的詮釋。

▲ Mastering 是在聲音工程領域中一個極為重要的階段，控管著最終成品的品質與關鍵

K-system 的發明者 Bob Katz 對於 Mastering 階段提出了看法：**"Mastering is the last creative step in the audio production process, the bridge between mixing and replication."**

「Mastering 是混音與壓片之間的橋樑，也是在整個音樂製作過程中，最後一個可以發揮創意的關卡。」

Mastering 在聲音工程的發展歷程中，還算是一個很新的後製技術，可以追溯回 1948 年 Ampex 釋出 The model 200 盤帶錄音機的時代，而當時的聲音工程對於母帶後期工程師或混音師其實沒分的那麼細緻。

▲ Ampex the model 200

美國著名的 Gateway Mastering Studio 母帶後期工程師 Bob Ludwig 曾說過：

"Mastering is the technical and creative act of balancing, equalizing and enhancing, analogue or digital tapes so that the finished product will have attained the maximum musicality and competitiveness in the open market."

「Mastering 是一個掌握聲音均衡與創造、加強聲音品質的藝術，可使得最終的聲音成果在音樂市場上保有最大的音樂性與競爭力。」

1945 年出生的 Bob Ludwig 為多次葛萊美獎入圍與獲獎的知名母帶後期製作工程師。曾於世界知名的 Sterling Sound Studio、Masterdisk Corporation 與 Gateway Mastering Studio 中擔任聲音工程師職位。曾經參與製作 Led Zeppelin、U2、Phil Collins、Jimi Hendrix、Paul Rothchild 等音樂人的眾多世界知名專輯，並於 1994 年獲得 TEC 的 Mastering 獎項。

除此之外，英國著名 Abbey Road 錄音室（當年錄製披頭四音樂的錄音室）的母帶後期製作工程師 Chris Blair 也曾經說過："**Mastering is the moment for putting the final polish on to an album or single. The last opportunity to make sure that everything fits together seamlessly and that the sound does not vary from track to track.**"

「不管對於單曲或是專輯而言，Mastering 都是最後一個將聲音再潤飾的機會，而這也是最後一個得以確保整張專輯與曲子完美結合的機會，像是有沒有聲音的問題、曲子與曲子之間有沒有太大的差異或者意料之外問題。」

Chris Blair 早期曾經為 Abbey Road Studio 的盤帶錄音師，於 2001 年入圍了葛萊美獎，與許多知名音樂人合作，如 Beatles、Radiohead、The Divine Comedy、Gorky's Zygotic Mynci、Queen、Joe Loss、Ken Dodd 與 Des O'Connor 等。

Mixing 與 Mastering 的差異

以最直白與簡單的方式來描述，混音通常是處理剛錄音完成的專案檔。因此在 Mixing 階段，一個專案檔的聲音軌道可能是數十軌或數百軌，混音師要做的便是處理這麼多聲音軌道之間的問題，像是每一個樂器軌道之間的聲音平衡、整首曲子的起承轉合、主唱的表現狀況、是否要使用效果器去處理聲音音訊、將一個 Rough mix 處理成製作人想要的方向、是否要單獨將某些聲音去過特別的硬體機器等。

而在處理 Mastering 母帶時，專案檔裡通常只有整個混音專案檔所輸出的 L 左聲道與 R 右聲道。Mastering engineer 思考的則是整體聲音力度與空間的表現，還有延續混音師與歌手所想表達、詮釋的方向，並加以強化。

執行 Mastering 的軟體非常多，全球錄音室的霸主 Avid Pro Tools 當然可以拿來處理母帶，但是在許多世界知名的 Mastering studio 母帶後期製作工作室裡，其實還有用到許多專業軟體來處理，如 Mastering，像是 Pyramix、Sequioa、SADiE、Waveburner、Wavelab 等 DAW。

▲ Mixing

▲ Mastering

Mastering 的五個終極目標

Mastering 是在聲音產業的最後一道關卡，除了進行最後一步的校正之外，也是做為一個把關的程序。當 Mixing engineer 結束工作，準備呈交給 Mastering engineer 時，有許多問題是絕對需要注意的，這些可以有效避免造成最終程序的困難，且能夠更加緊密地結合 Mixing 與 Mastering 兩個階段。

Relative Level Balancing
每首曲子的音量平衡

當在播放同一張 CD 專輯時，也許整張專輯裡有超過兩種以上的曲風，但每首歌曲的音量大小水平會是差不多的，不會因為結束了這首曲子跳換至下首曲子時出現「音量斷層」，這個非常重要的細節就是 Mastering engineer 需要處理的。

▲ 當進展到 Mastering 關卡時，每一個動作都將扮演著牽動全身的角色，更需要專注與專業

Dynamic Level 動態音量

音量大小一直都是 Mastering 最大的爭議，一般大眾或者許多音樂人可能誤解了 Mastering 增大音量的真正含意。與其說「增大音量」，不如說是提高音量整體的動態水平較為恰當，這本來就是 Mastering 中非常重要的一環。只不過 Mastering 增加音量的方式才是最困難也最有學問的地方，絕不僅僅只是把「聲音調大一點」而已。

Compressor 是在處理聲音工程時非常重要的器材與關鍵，也是造成 Mastering 難度極高的一個原因。在前面的章節中有介紹到 Compressor 還加以細分為 Downward compressor 和 Upward compressor，且並非所有 Compressor 都擁有 Upward 功能，因此在使用上有所限制。

再者，要是今天面臨一首曲子的主歌與副歌動態差異過大，甚至它還分第三章節、第四章節，而每一章節的動態差異可能都極大，像是 A 段主要陳述為安靜，B 段轉換為吵鬧的爆發，C 段再轉換為完全不同曲風的樂器演奏，D 段又變成非常活潑的樂器演奏，這些狀況下的動態調整又是完全另外一門課題與學問了。

Equalization (Clarity) 聲音的均衡（清晰度）

在專業混音師的處理之下，一些聲音的均衡問題基本上已經在上一道關卡 Mixing 中就被處理過了。但是難免會發生因為錄音師案子太多、長時間聆聽、數位器材的受限、空間等，而造成像是遺漏了頻率、意外造成某些 Phase 相位問題、在最終輸出時 Over push 過度擴展頻率或動態等問題。

即便是不對的，但這時也只能依賴聲音工程的最後一道關卡─ Mastering。通常執行 Mastering 監聽喇叭上的最低要求都是 3 way 三音路的監聽喇叭，因此能夠聽到更多混音階段遺漏的聲音細節。此時便可以透過 EQ 來稍微拆開或彌補聲音的音場相位問題、頻率打架的問題、增強聲音的特色、細緻度等諸如此類的問題。

Song Sequence Editing (Compatibility)
曲目編輯與歌曲相容性

現今數位化時代的流通，聲音訊號擁有太多的市場出口與聆聽方式，因此在 Mastering 階段還有一個該被注意到的重要問題—市場相容性。母帶後期工程師應該要瞭解並認識自己所處的市場定位以及每一個案子的輸出導向。今天這張專輯的市場主要是在哪個部分？傳統 CD 市場？黑膠唱片收藏？線上音樂串流？iTunes 數位音樂專輯？相容性是在此階段必須考慮到的問題。

Mastering 並非等於大聲

Loudness war 是在這 20 多年來最常與 Mastering 畫上等號的名詞。如同 Chapter 10 所提到的，當將整體音量拉大時，人耳會自動增加對於低頻與高頻的印象，進而導致「喔，這聲音好像比較滿耶，這音樂比較好聽喔！」的聽覺錯覺。

當聽眾習慣了大音量的音訊，再去聽小音量的音訊時，自然會覺得怎麼聽不見低頻與高頻？此時應該要反過來思考，聽眾可以將音量放大，仔細去聆聽高、中、低頻各自的表現，與整體音訊的動態呼吸。然而客戶都認為 Mastering 壓大音量才是好的，若聲音小好像就輸了第一步，造成 Mastering 為提高音量的錯誤思想。

對於 Mastering 導致的 Loudness war，Bob Katz 於《Mastering Audio: The Art and the Science》一書中說了一句：**"It's not how loud you make it. It's how you make it loud."**

「不是你必須將聲音變到多大聲，而是你是怎麼將它變大聲。」

錯誤的觀念造就 Loudness war 的開始與對 Mastering 的誤解。透過圖中可以觀察到，1967 至 2010 年間這幾張專輯的動態範圍，雖然略有消長，但若由大至小排列，可發現有逐年縮小的趨勢。關於 Loudness war 在 Chapter 12 將有更深入的介紹。

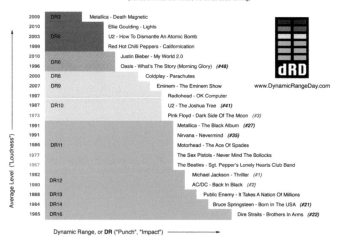

The Loudness Wars - Dynamic Range versus "Loudness"
(Numbers in brackets indicate worldwide sales ranking)

◀ Loudness war chart between 1967 and 2010（來源：Ian Shepherd）

　　世界知名的 Dream Theater 夢劇場樂團至今成立了 28 年，期間即便經歷了些許團員的更換，但至今仍舊擁有多位創團元老於該樂團中，而這段期間以來的專輯，同樣的製作團隊，為 Dream Theater 一點一滴打造成為前衛金屬樂團的龍頭代表。這 28 年間，同一個樂團與近乎相同的音樂製作團隊，隨著 Loudness war 的演進，似乎也與之產生了微妙的連結。

　　如圖為取錄音室作品 CD，而非其他黑膠等出版，以平均動態範圍來做為整體性的評估。

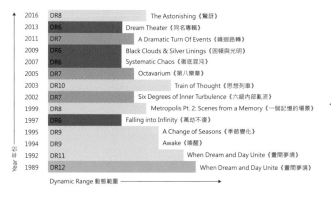

◀ Dream Theater 夢劇場樂團於 1989 至 2016 間，專輯動態範圍列表（資料結合統整來源：Dynamic Range Database）

Part 5

混音藝術

混音是門依靠時間堆疊經驗與建構出美感的學問，

混音師是音樂家，也是藝術家。

12

Loudness War 響度戰爭

全世界在過去的 20 多年之間，表面上看似光鮮亮麗的聲音產業，私底下其實正在默默的打一場雖然不會直接浮出檯面，事實上卻暗潮洶湧的仗─ Loudness war 響度戰爭。這是一場藉由犧牲歌曲本身的動態，以換來提升整體大音量的機會，進而吸引聽眾短暫的注意力以及目光的戰爭。

12.1

The Background of Loudness War

何謂響度戰爭

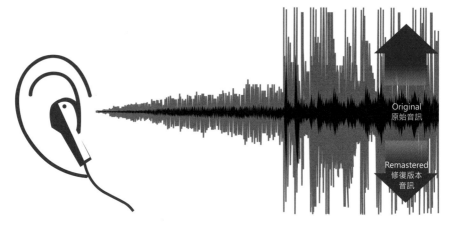

▲　動態失衡

在數位音樂系統裡，理想的音訊響度上限爲 0dBFS，假設擁有的原始音樂樂句的動態範圍爲：-4dB、-1dB、-6dB，若將整體動態使用 Dynamic control 動態控制工具強制提升 +2dB，並將上限設爲 0dB，則整體動態範圍將變爲：-2dB、0dB、-4dB，由於第二區塊的音訊限度已經達到最大臨界值，故無法再提升。

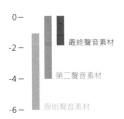

▲ 爲了提昇整體音訊的響度而損失了動態範圍

而在響度戰爭裡，由於樂句中已經有動態的最大值達到整體歌曲的最大值 0dB，爲了取得更大的音量，接下來會按照比例提升 +2dB，變成：0dB、0dB、-2dB。

由這個例子可以瞭解，雖然整體音訊透過動態工具處理後，平均音量得到了提升，但動態範圍最大響度與最小響度的差距，卻由原先的 4dB 變成了 2dB，在這樣的過程中，就會損失原先聲音動態的空間。

有人說，Loudness war 是發生在 Mastering 母帶後期製作階段，怎麼會在 Mixing 混音階段就提及這件事呢？正如前面章節所提到的，混音工程其實是在學習與操控那數不清的小細節，而不是只碰觸表面看到的那幾個大重點，在整個音樂製作中的每個環節都是環環相扣、緊緊相連的。因此在混音階段的聲音堆積與錯誤操作，也可能是造成 Loudness war 的其中一個因素。

當瞭解到聲音訊號經過不正確的 Dynamic 動態處理，透過損失動態來強迫提升整體音量不見得會得到好的聲音，爲何全世界的錄音室或個人工作室還是奮不顧身地投入 Loudness war 呢？

假設這張白紙是全世界的聆聽市場，而音樂本身在此用文字「Music」代替。

整個市場上絕對不會只有一首音樂，如果是這樣，也不會有所謂的「戰爭」了！所以眞正音樂產業的世界應該是這樣：

如何在這麼擁擠的狀態之下，從眾多音樂歌曲中跳脫出來，得到聽眾青睞與注意呢？

這個道理和在一片白米中找到一粒黑芝麻一樣，當大家都站在相同的基礎點時，某首音樂卻特別大聲，人們的注意力自然而然會受到音量的影響而被吸引，因此當白紙上的「Music」都一樣大，但卻有某個字特別大的時候，就很輕易地跳出來了！然而，其他的唱片公司或者製作公司怎麼可以因爲音量大小而輸呢？因此，這 20 年來，音樂的世界漸漸地轉換成最後這種情況。

▶ 為了吸引人們短暫的注意力，響度戰爭就此開打

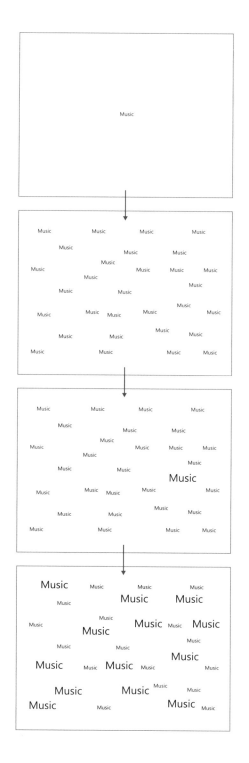

這場屬於音樂產業的戰爭，就這樣開打了。

早期 Mastering 關卡中的做法是簡單地將音波振幅拉高，進而提升整體音訊，但是在 Loudness war 的競爭之下，愈來愈暴力的 Compression 壓縮技法在不同的工作階段，被用來強迫調整整體音訊的動態音量表現，進而造成整首曲子完全失去動態表現與樂器演奏的呼吸，導致 Loudness war 不見得只是在 Mastering 階段時的產物，它也有可能發生在 Recording 階段或 Mixing 階段。

美國知名的金屬樂團 Metallica 金屬製品，於 2008 年發行的《Death Magnetic》專輯所引發的爭議，正是在聲音工程圈內極為有名的案例，完全是 Loudness war 的縮影。明顯過於吵雜的平均音量，伴隨著超級破音的電吉他，這張專輯在推出的同時讓許多人直言：「這根本就是史上最爛的 Mastering 成品！」

◀ Metallica 的《Death Magnetic》專輯

這張專輯的後製可是由美國知名的 Mastering studio - Starling Sound Studio 中，Mastering engineer 母帶後期工程師 Ted Jensen 完成，當時 Ted 還為此跳出來捍衛自己的名譽：**"In this case the mixes were already brick walled before they arrived at my place. Suffice it to say I would never be pushed to overdrive things as far as they are here."**

「這張專輯中的問題完全不干我的事！當混音的母帶送到我手上時就已經失眞了！我只想說，我是不可能會將聲音處理到破成這樣的！」

回到這張專輯的問題點，如果 Ted 在剛拿到混音母帶時就已經失眞破音了，在 Mastering 階段，無論如何都不可能將聲音變回漂亮的音色。究竟是哪個環節出了問題呢？

在聲音工程或是唱片製作中，以最基本、沒有意外的工作流程來說，通常為：**Creating 創作－ Recording 錄音－ Editing 剪輯－ Mixing 混音－ Mastering 母帶後期製作－ Tableting 壓片**。因此可知，如果在 Mastering 關卡拿到的混音母帶就已經是完全失眞的聲音檔案，那有很大的可能性是在 Mixing 甚至於 Recording 這兩關就被搞砸了。

正因為 Starling Sound 與 Ted Jensen 的母帶後期製作經驗在全球音樂圈的知名度極為崇高，透過這次的事件，反而讓所有聲音工作者更加關注聲音工程中的環節—錄音、混音、母帶後期製作都有可能造成 Loudness war。

Mastering engineer 的工作應該是要扮演好聲音工程裡最後的守門員，為聲音把關，並讓聲音的品質更加完美、更符合市場的聆聽，但如今隨著爭搶媒體曝光與製作公司無謂的堅持，只為了奪取聽眾對於曲子的短暫注意，迫使聲音工程師濫用 Compression 壓縮技法或任何處理 Dynamic 的效果器來打亂原先的動態範圍。

強制提高整體音量會造成「音樂聽起來好不好反而變成被模糊的焦點，音量大聲才是重要的」這個錯誤的觀點及惡性循環。短期的大音量也許可以得到許多注意力與吸引力，但卻損失了曲子的呼吸與韻律。

為了爭取那幾秒的絢麗，而引起的 Loudness war，回歸到音樂的本質上，眞的打了勝仗嗎？

位在曼哈頓的 Starling Sound Studio 擁有超過 16
名 In house 常駐聲音工程師，説是世界最知名的
Mastering studio 也不為過。在早期，它重新定
義了 CD 的母帶後期製作標準，並且為 24bit 數位
音樂的數位 Console 控台寫下全新的里程碑，至
2016 年為止，製作過的唱片母帶工程作品已超過
17,600 張。

Ted Jensen 為 Starling Sound 的首席母帶後期製作
工程師，於母帶工程領域已經擁有 40 年的資歷，
無論是 TEC 獎或是葛萊美獎 Ted 皆為常勝軍，得
獎無數。全球知名的樂團或歌手，皆指定 Ted 負
責專輯的母帶後期工程，如 Coldplay、Muse、
Tim McGraw's、Green Day、Madonna、Pat
Metheny、Eagles、Alice in Chains 等。

12.2

The Speculation of Loudness War

響度戰爭的影響

　　為什麼在 Loudness war 裡，大聲不
一定等於好呢？基本上，Loudness war
會造成兩個關鍵性的問題：第一，過度
壓縮歌曲的動態音量，容易失去自然的
呼吸與動態；第二、每一首曲子，當響
度較大時，反而容易造成聽覺的疲勞與
聽力的受損。

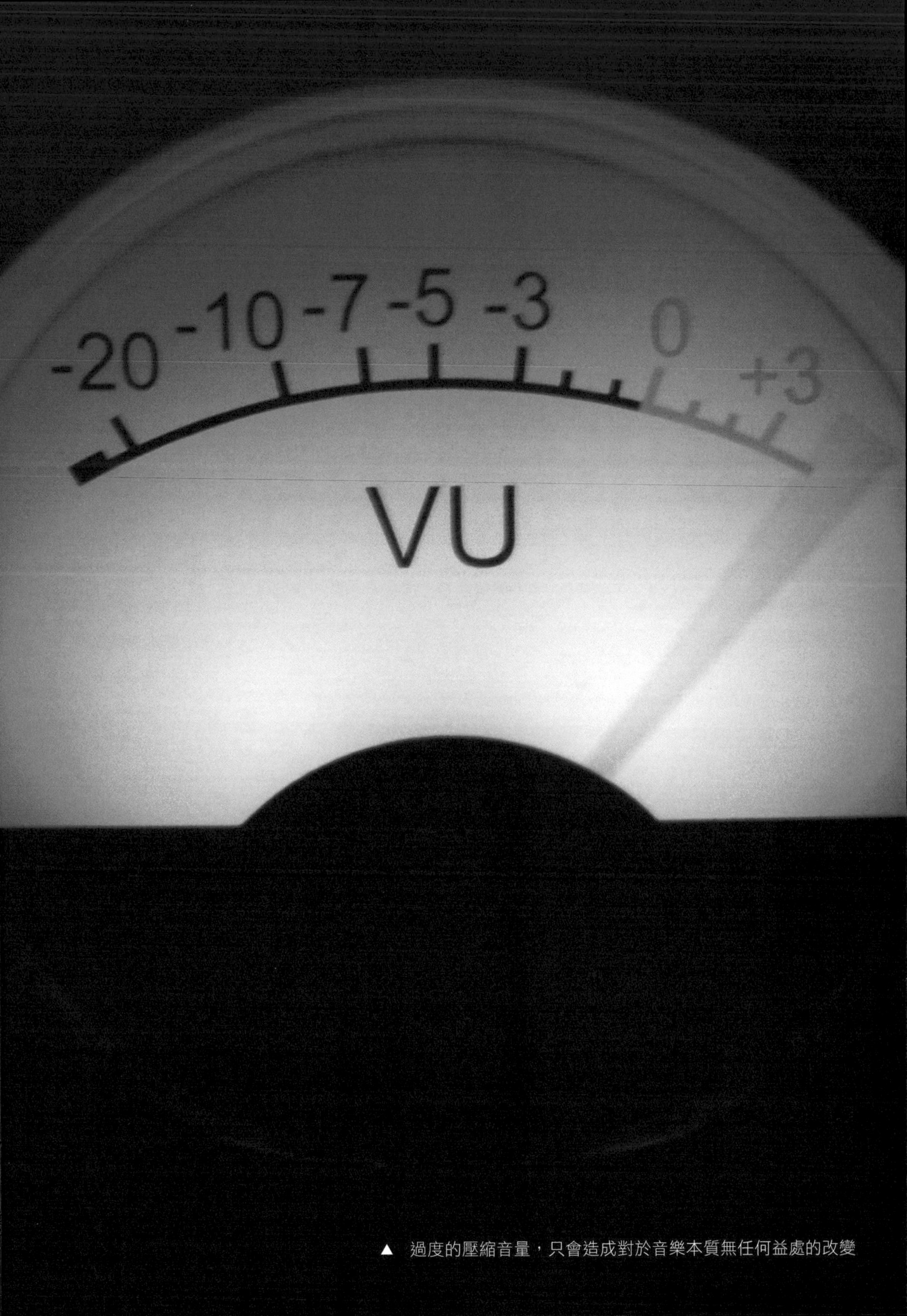

▲ 過度的壓縮音量，只會造成對於音樂本質無任何益處的改變

過度壓縮歌曲的動態音量，
失去自然的呼吸與動態

將一張專輯的原版 CD 直接置入 DAW 數位音訊工作站之後的聲音波形，明顯可以看出前段主歌的聲音音量較小：

要是將整首曲子進入 Compressor 來強制提高整體動態音訊之後，它的音波訊號大小會是這樣：

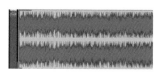

單看波形也許會認為聲音變大、更飽滿了，聆聽音樂的中、高頻好像更清楚了，這是因為人的耳朵容易因為音量而產生聽覺上的錯覺，即便專輯的音量只被提升了 0.5dB，也會因為音量較大而產生大聲的音訊檔較為好聽的錯覺。

也許有人會問：「那有什麼不好？如果覺得太大聲，把音量調小就好啦！」

這個想法大錯特錯。聲音一旦經過了 Compression 處理，原始聲音波形的本質就已經受到改變，之後不管聽眾怎麼調整播放的音量，是無法再改變聲音波形與本質的。

此時擷取原先的雙聲道曲子成為單聲道將聲音重疊，再將兩者的音量調整至一樣的大小做比較時會發現，原先紅色的音波波形擁有較多的動態範圍，而藍色壓縮的較誇張的處理方式，動態範圍卻被衰減掉了。

透過這樣的例子可以瞭解，過度壓縮歌曲的動態音量，曲子不再擁有自然的呼吸與動態範圍，對於音樂的聆聽當然不會是一件好事。

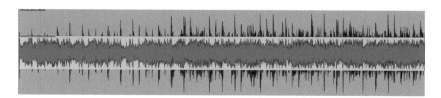

▲　兩種波形的動態範圍比較

每首曲子的響度較大，
容易造成聽覺疲勞與聽力受損

　　無論是流行歌、電影配樂、古典音樂等，都應該要擁有截然不同的動態表現。舉例來說，通常古典音樂的錄音需要盡量保留原先樂器演奏的音色與動態，因此，整體的動態範圍差異會非常大。聲音的大小聲範圍牽動著整首曲子的靈魂與調性；爵士樂的爵士鼓演奏橋段會使用鼓刷來進行演奏，此類型的節奏方式並不像流行音樂的敲擊力道如此之大；Hard rock 硬式搖滾的音樂曲風通常會讓爵士鼓的小鼓擁有非常清脆又有 Punch 衝擊感的力道。

　　如果從今天開始，每一種音樂屬性都變得愈來愈像，這些原本屬於不同音樂曲風的不同動態範圍表現，卻一致性的變得非常大聲。這樣的狀況下，先不管音樂的本身好聽與否，耳朵就非常容易產生聽覺疲勞的現象，甚至聽力受損。

　　聲音譜出音樂，而我們的日常生活離不開聲音。不管是音樂、說話、廣播、電視等，當人的耳朵習慣與維持在一個持續高音壓的生活環境裡，逐漸會與小音量、小聲音訊號疏遠；這個道理就像是長期居住在施工地點旁的居民，聽力會日漸衰弱是相同的。

　　在 Loudness war 的潛移默化之下，不管是電視廣告、YouTube 廣告、電台廣告等聲音的表現都會備受影響。一般人在聽音樂或看電視時，總會固定音量不去調整，但進入 YouTube 影片前的廣告或某則電視廣告卻出現了嚇死人的音量，光是這點，長時間累積下來對於聽覺系統而言不是一個好現象。

12.3

The End of Loudness War

結束響度戰爭

▲ MCI JH-416B Console

　　到目前為止的解釋與示範，大概可以理解 Loudness war 是什麼，那要如何結束與解決這場戰役呢？這就像大家熟知的標語「愛護地球，人人有責」一樣，身為音樂人和熱愛音樂的你也可以參與，成為結束 Loudness war 的一員！

　　設置與制定一個全球遵守的標準非常困難，但是這卻可以是第一步。

　　在英國，早已有廣播聯盟設置了關於音量控管的標準。最初他們控管音量不能超過 PPM 6（＝+8dBu），但是這樣有一個麻煩，因為 Peak loudness 峰值響度大小和可以被感知的響度音量大小是不一樣的東西。因此即便量表是顯示在 PPM 6，但是透過 Compression 捨棄掉動態的方式，還是可以得到一個「感覺比較大的音量」。

▲ EBU R128 logo

2010 年 8 月，EBU 宣布了 Loudness Recommendation EBU R128 技術規範，準確地幫助廣播系統的聲音工程可以更加精準地去詮釋與規範。

PPM 和 R128 不一樣的地方在於，R128 規範的是平均音量的 Meter 儀表，而使用於監管這個標準的單位為 LUFS。歐盟規定於廣播系統中，一切的標準不能超過 -23LUFS±0.5LU，對於現場節目則有正負 0.5LU 的寬容值，這代表在一個節目中，整首曲子的動態範圍平均值必須在 -23LUFS 以內。這是非常好的現象，因為這代表著一個曲目可以擁有許多的動態值，而且整體過度壓縮的狀況與習慣將會因此去做改變。

　　Loudness Unit Full Scale 簡稱 LUFS（在美國稱為 LFKS）是針對不同的頻率與聲音的持續時間，分別重新納入公式加權計算，用以得出更貼近人耳聽覺感受的計量表，而一個單位的 LUFS 等於 1dB。

▲ YouTube logo

愈來愈多大企業對於制止響度戰爭表示贊同與支持，像是 YouTube 於 2015 年發表了新聞稿，在相關網站中的報導文章提到：

"YouTube just put the final nail in the Loudness War's coffin."

「Youtube 已經為響度戰爭的棺材釘上最後一根釘子！」

"YouTube have been using loudness normalisation on their music videos – and they've been doing it since December last year. Everything plays at a similar loudness, regardless of how it was mastered."

「YouTube 從去年的 12 月就開始對每一支上傳到 YouTube 的影片進行響度控管，不管每首曲子或影片是如何被製作的。」

"YouTube, all of them are being played back at a similar loudness of roughly -13LUFS."

「在 YouTube 上，所有的影片將會被播放在約 -13 LUFS。」

"And that's HUGE, because YouTube is the single largest online discovery source for music. More kids look for music on YouTube than on iTunes, TV or radio, or anywhere."

「這是非常重大的，因為相較於 iTunes、電視、電台或其他地方，YouTube 可是現今最大的音樂網路平台，大部分的孩子都在 YouTube 上尋找音樂。」

除了 YouTube 的標準限制為 -13 LUFS，iTunes 為 -16 LUFS、Spotify 為 -16.5 LUFS。音樂人在製作 Mixing 和 Mastering 時，確認音樂將釋出於哪些平台，與需要保留多少 Headroom 動態範圍，這些都必須符合平台的 LUFS 規範，以避免音樂製作隨著發表的不同平台所造成的品質損害。

　　現今數位化發展的驅使之下，已經無法阻擋 iTunes、Spotify、YouTube、Pandora 等數位化網路收聽音樂的播放方式，對於 Loudness war 這個區塊，只要從個人做起，還是可以盡可能地改變。使用正確的 Meter 工具，也能夠幫忙且精準地減少無意間參與這場戰爭的機率。

▲　Nugen Audio Meter 的 LUFS Meter，可以精準的將音量掌控在 -13 至 -16.5LUFS 之間，讓在製作階段就可以掌控與調整最佳動態來適用於任何平台

抑止 Loudness war 的重點是「保留住聲音最完美、最原先的動態」，因此並非一定要靠某一種 Meter 才能辦得到，許多好用的 Meter 像是 TT Meter、TC Electronic LM6、Nugen VisLM、MeterPlugs LCast 等均可達成。只要能夠確保聲音有著最高品質，使用比較不準確、不接近眞正音量，但卻比較舒服的 RMS meter 平均方根儀表，或是接近眞正音量、範圍也廣，但卻比較嚴苛的 Peak meter 峰值儀表都可以。每一個混音師都該訓練自己對於聲音在不同 Meter 上的期待値與判斷力，這完全沒有標準答案。

雖然不管是 YouTube 或是歐美國家設置的音量標準，都是抑止 Loudness war 非常好的開始，但這可能還有很長的一段路要走。在現今數位化世界，全球的錄音室或個人工作室林立的狀況下，要如何統管全球的唱片公司、配樂製作、音效設計或聲音等製作的控管標準？要怎麼在全球這麼多國家、語言、平台、習慣與作業方式下，制定全球的音樂音量管制方式或方案？

很可惜，現階段還辦不到。

必須老實說，Loudness war 絕對不會因爲一、兩個平台或是一、兩個國家制定了標準就結束，這是一場長期抗戰。革命靠的不是一個英雄驚天動地的捨身改變，而是靠一群人團結一致地朝目標邁進。成功的號角也許沒那麼快響起，但是每個音樂人及熱愛音樂的人自覺地加入與幫忙，絕對會是關鍵的力量。

身爲音樂工作者 / 愛音樂的你，絕對可以成爲改變世界的其中一員。

國家圖書館出版品預行編目（CIP）資料

催生音樂：混音工程與製作／游士昕編著 .——二版 .——新北
市：全華圖書, 2016.08
　　面；　　公分
　ISBN 978-986-463-320-3（平裝）

1. 電腦音樂 2. 電腦語音合成 3. 電腦軟體

917.7029　　　　　　　　　　　　　　105015151

The Audio Mixing and Production
催生音樂－混音工程與製作

發 行 人　陳本源
作　　者　游士昕
執行編輯　陳俐伶
專業校對　林鴻君、楊維夫
封面設計　張珮嘉
美術編輯　張珮嘉
插圖繪製　王博昶、楊雯卉
出 版 者　全華圖書股份有限公司
郵政帳號　0100836-1 號
印 刷 者　宏懋打字印刷股份有限公司
圖書編號　08231016
二版三刷　2018 年 8 月
定　　價　新臺幣 850 元
I S B N　978-986-463-320-3
全華圖書　www.chwa.com.tw
全華網路書店 Open Tech　www.opentech.com.tw
若您對書籍內容、排版印刷有任何問題，歡迎來信指導 book@chwa.com.tw

臺北總公司（北區營業處）
地址：23671 新北市土城區忠義路 21 號
電話：(02) 2262-5666
傳真：(02) 6637-3695、6637-3696

南區營業處
地址：80769 高雄市三民區應安街 12 號
電話：(07) 381-1377
傳真：(07) 862-5562

中區營業處
地址：40256 臺中市南區樹義一巷 26 號
電話：(04) 2261-8485
傳真：(04) 3600-9806